恋愛の格差

村 上　龍

幻冬舎文庫

はじめに

格差というのはイヤな響きの言葉だ。まるで、人格に差があるとか、人間としての格差があるようなニュアンスがある。今、終身雇用制が崩れようとしていて、また良い意味でも悪い意味でも日本社会を支えていた「世間」というものも消滅しようとしている。良い会社への就職を目指し、世間から温かく見守られる（監視されるという言い方もできるが）ということで、わたしたちは「多少の貧富の差はあってもだいたいみんな同じ」という一体感を持つことができた。

しかし、たとえば「人並みの暮らし」という言い方があるが、今の「人並みの暮らし」とは具体的にどんな暮らしなのだろうか。この本は、格差について書かれているが、格差を言い立てて、不安を煽《あお》るのが目的ではない。現代日本の「格差を伴った多様性」の中での、恋愛の可能性について書かれたものだ。

村上龍

CONTENTS

恋愛の格差

それでもわたしは幸せ、と言えるだろうか

この人と結婚したいという男に巡り会いたいとは思うけど、とにかくどうしても結婚したいという風には思わない、ある若い女友達はそう言った。今の女性の結婚観をよく表した言葉だと思う。

もしわたしに適齢期の娘がいて彼女に恋人がいたら、結婚して欲しいと思うだろうか。結婚さえしてくれればいいとは思わないだろう。法的に籍を入れたからといって何かが保証されるわけではないからだ。わたしが適齢期の娘の親だとしたら、わたしは安心のために何を望むだろうか。彼女に必要なものは何だろうか。

わたしが大金持ちで彼女に巨額の遺産を残してやればそれで安心するだろうか。金はあるに越したことはないが、働く意欲を失い、寄ってくる男がみな遺産目当てではないかという猜疑心《さいぎしん》の虜《とりこ》になって逆に不幸になるかもしれない。そう思って不安になるかもしれない。

申し分のない理想的な男と結ばれれば安心できるだろうか。経済力も人間的魅力もあって、優しいフェミニストの男性と結婚してくれれば、それで安心できるだろうか。離婚しても莫大な慰謝料が手に入る、そんな男だ。だが、離婚したら、寂しい人生になるかもしれない。子どもが産まれていたら、一人で育てていくのはきっと大変だろう、わたしが親だったらそう思うかもしれない。

親なら誰だって子どもに幸福になって欲しいと願っているだろう。だがどうすれば幸福に生きることができるか、その答えは簡単ではない。昔、これからの女は大学を出ていないといけない、という考え方が一般的になった時代があった。いい大学を出ていれば、万が一結婚できなくても働けるし、結婚の際にも有利だという理由だった。同程度の容姿だったら、頭がいい女が選ばれるだろうと世の親たちは思ったのだ。

＊

わたしの周囲の、結婚していない三十代の女性たちに、なぜ結婚していないのかと聞いたとき、結婚した友人が幸福そうに見えないからだ、という答えが多かった。子どもには手がかかるし、自分の時間がない。結婚してしばらくすると夫はかまってくれなくなる。他のおかあさんたちとの人間関係もむずかしい。いつもそういう愚痴を電話で聞いていると結婚する気がなくなってしまう、彼女たちはそういうことを言った。

どうして結婚しないのか、メディアはそういう問いを立てる。その問いはどこか変だ。適齢期の男女が結婚することは世の常識だという前提に立っているからだ。なぜ昔は結婚することが常識となっていたのか、という問いのほうが問題を明確にすることができる。昔の人は男女間に愛があれば結婚するのが当然だと思ったわけではない。昔の女性にとって結婚することは生きる上で有利だったのだ。

女性に参政権もない時代、女性の大学進学率が数パーセントだった時代、未婚で生きていくのは大変だった。だから女性は結婚した。そして結婚は常識になった。結婚が絶対的有利ではなくなった今、そういった常識に縛られるのは愚かなことだ。だが、多くの親が娘には結婚して欲しいと思っている。

きれいな女、金持ちの女、仕事のできる女

都心のスノッブなイタリアンやフレンチレストランにはさまざまな女性たちがいるが、大別すると、きれいな女か、金持ちの女か、仕事のできる女の三種類しかいない。ついでに言えば、金持ちの女というのは、夫や彼氏や実家が金持ち、という女も含まれる。もちろん、きれいで金持ちだという女もいるし、金持ちで仕事ができる女もいるし、仕事ができてきれいな女もいるし、きれいで金持ちで仕事ができる女もいるが、貧乏でブスで仕事

ができないという女は都心のスノッブなレストランには一人もいない。

もちろん、都心のスノッブなレストランに行くことができなければ充実した人生とは言えない、というわけではない。またスノッブで値段の高いレストランが必ずおいしいというわけでもないが、値段が安くておいしい店より、値段が高くておいしい店のほうがよりおいしいという説もある。またおいしい食事やワインは確かに充実感を与えてくれるものだ。ちょっとした悩みが消えることもあるし、豊かな気持ちになれることもある。

都心のスノッブなレストランに行けなくてもわたしは充分に充実した人生を送っていると言えるのはどういう女性だろうか。

国際線のファーストクラスやビジネスクラスの座席にもさまざまな女性がいる。しかしそれも、きれいな女か、金持ちの女か、仕事ができる女の三種類だ。それ以外の女はエコノミークラスの狭い座席で長いフライトに耐えなければならない。もちろん飛行機の座席のクラスがその人の人格を表すわけではないし、ファーストクラスに乗る人がエコノミークラスに乗る人より偉いわけでも幸福なわけでもない。だが、ファーストクラスやビジネスクラスは、確かにエコノミークラスよりも快適だ。座席もゆったりとしているし、食事も違うし、空港の専用ラウンジも使える。

わたしはエコノミークラスで旅行するが充分に充実した旅をしていると言えるのはどう

いう女性だろうか。

わたしは、ファーストクラスに乗らなければダメだと言いたいわけではないし、ファーストクラスに乗れるように努力しようなどと提言しているわけでもない。ファーストクラスに乗るための努力などに何の意味もない。だが、テレビや女性雑誌は絶対に教えてくれないが、そういったクラス分けは静かに進行している。メディアがどんなに隠しても、自分は一生ファーストクラスで旅行することはない、と自覚せざるを得ない層がいずれ大量に生まれることになる。

そういう歴然とした格差が露《あら》わになったとき、それでもわたしは幸福だと言えるのはどういう人なのだろうか。誰もが幸福になりたいと思っているし、充実した人生を送りたいと思っている。自分の子どもだけは幸福になって欲しいと必死に働いている親だって大勢いることだろう。だが、幸福な人生、充実した人生というのはいったいどういうものなのであろうか。

幸福で充実した人生を送るためにはどういう女性であるべきなのだろうか。誰をモデルにすれば幸福で充実した人生が送れるのだろうか。

メディアが用意する幸福で充実した人生では、たいていの人が笑っている。住宅のＣＦなどには決まって幸福そうな人々や家族が登場する。特徴として、彼らは例外なく笑っている。おばあさんが孫らしい子どもを抱いて笑い、夫婦らしいカップルがリビングで食卓を囲んで笑っている。彼らがなぜ笑っているかは決して明らかにされない。彼らが笑うことができるのは幸福だからだ、わたしたちにはそういう刷り込みがなされてしまっているが、広い家に住むだけで幸福で充実した人生が約束されていると信じている無知な人はもういないだろう。

不幸になりたくないならば…

幸福は人生に満足することだ、という人もいるし、幸福は自分でつかみ取るものだという人もいる。あるいは、ちょっとした気の持ちようで、幸福は訪れるものだ、というようなことを言う人もいる。本当だろうか。本当だとすると、満足するためにはどうすればいいのだろうか。またどうやって幸福というものをつかみ取ればいいのだろうか。ちょっとした気の持ちようで、たとえばホームレスでも幸福で充実した人生が送れるのだろうか。

＊

結婚さえできれば幸福になれると本気で思っている女性はもういないのではないだろうか。金持ちの男と結婚すれば幸福になれると本気で思っている女性はどのくらいいるだろう。

こうすれば必ず幸福になれる、というモデルは存在しないし、昔も存在しなかった。誰もが求めているのは、必ず幸福になれるというモデルではなく、こういう風に生きたほうが不幸になるリスクが少ない、というモデルなのだと思う。

それでは、結婚したほうが不幸になるリスクが本当に少ないのだろうか。きっと誰も答えられないだろう。当たり前のことだが、個々のケースで違うから答えられないのだ。それなのに、雑誌やテレビでは、結婚したほうが幸福か、それとも結婚しないほうが幸福か、というような括《くく》り方で議論される。

わたしたちは、女性にとって結婚は幸福の条件なのか、というような設問の文脈しか持っていない。個人の概念が希薄だからだと思うのだが、わたしの考えはまだまとまっていない。

結婚しなければ生きていけない女

ＪＭＭという金融・経済をメインとするメールマガジンを三年間やり、ひとつだけ、これだけは間違いない、ということがわかった。

それは、日本や日本人という風に、大きく一括《ひとくく》りにできなくなった、ということだ。もちろん「日本」や「日本人」だけではない。働く女性、主婦、ヤングミセス、ギャル、女子大生、女子高生みたいなカテゴリーも、少ない例外を除いて意味がなくなった。

「ヤングミセスに大人気の～」という表現は、現実にフィットしていない。福島県と東京のヤングミセスでは、地理的に最初から違う条件がいくつもある。年収五千万の夫を持つヤングミセスと、年収四百五十万の夫を持つヤングミセスでは、それぞれの消費動向をいっしょくたに語ることはできない。

サラリーマンや学生、おじさんや子どもや高齢者でも同じだ。学生の学力の低下が目立つ、などとよく言われるが、すべての学生の学力が平均的に少しずつ下がったわけではない。サラリーマンに人気のある週刊誌、などという表現は実際にはもう使えない、子どもが危ない、などというタイトルをよく雑誌で見かけるが、すべての子どもが危ないわけではない。

中学生の教育を話題にするときも、すべての中学生をひとまとめにしてしまうと、問題点が見えなくなってしまう。偏差値が七十以上の都内の私立中学の問題点と、偏差値が低い都市圏や地方の底辺校の問題点は同じではない。問題とするべきポイントが違うのだから、一万時間議論しても、何も見えてこない。

そしてさらに問題なのは、そういった状態を正確に表現する言葉がないということだ。多様化という言葉がよく使われるが、多様化というのは、字の通りで、いろいろな多くの様式や種類に分かれることだ。たとえば、サラリーマンで考えてみると、多くの様式や種類に分かれているわけではない。年収数億を稼ぐ外資のストックブローカーも、年収三百五十万で警備会社に転職したリストラ社員も、同じサラリーマンで、様式や種類が違うわけではない。彼らの違いは、年収やそれに応じた生活の違いなのだが、その違いを正確に表す言葉がないのだ。

誤解されると困るが、わたしは、年収五億の外資のストックブローカーが、年収三百五十万円の警備会社社員より偉いとか、人間として優れていると思っているわけではない。ただ、年収が違えば、ライフスタイルが違う。年収三百五十万で、ファーストクラスでヨーロッパに行ったり、アルマーニやヴァレンチノのスーツを着るのは不自然だ。ファーストクラスで旅行に行く人が人間として優れているわけではないが、エコノミーでしか旅行に行けない人との間には歴然とした違いがあると、そのことを言いたいだけだ。

ブランドは格差を隠蔽する

要するに、格差が生まれている、ということだろう。それは所得格差と言ってもいいし、経済格差と言ってもいいが、身分格差ではない。経済的な格差は、多様化という表現ではカバーできない。

わたしたちの社会は、ほとんどすべての人が、自分は中流である、という意識を持つことによって成立してきた。実際に、これまで経済的な格差は、表面に出ることが少なかった。特に、高度経済成長期には、中卒の出稼ぎ者も、大卒の大企業の勤め人も、暮らしぶりはあまり変わらなかったし、需要傾向も差はなかった。学歴や職種や地位にあまり関係なく、ほとんど同時期に誰もがテレビや冷蔵庫やクーラーや自家用車を欲しがり、ほとんど同時期に手に入れていた。

住まいも、差がなかった。アメリカのように階層によって居住地区が分かれるというようなことはなかった。アメリカは、所得や人種によって居住区が分かれているが、日本ではほとんどそういうことはない。それはいくつかの理由による。まず第一に日本の、特に都市部及び郊外の住宅供給に限界があることだ。つまり日本は土地の値段がこれまであまりにも高かったので、所得格差が住居に反映されなかった。第二に、治安がよかった。低所得者層の略奪を恐れて高所得者層が避難するといったようなことは必要なかった。

しかし、これからはどうだろうか。世間というものが機能していた頃とは、比べものにならないくらい治安は悪くなっている。外国人の犯罪も増えている。ただし外国人の犯罪が増えているのは、外国人の滞在そのものが悪いわけではない。滞在する外国人の総数が増えるとそれにつれて犯罪も増えるということだ。いずれにしろこれから高所得者層は、安全を金で買うようになるだろう。

＊

問題は、そのような所得格差、経済格差に日本社会が耐えられるかということだ。これまでの、総中流社会、均一社会は、多くの人にとって居心地がよかった。被差別部落の人々や、アイヌや在日のマイノリティの人々を除いて、ほとんどの日本人は「みんな一緒」というマジョリティの幸福を当たり前のものとして享受してきた。つまり、わたしたちの社会は、少数の人たちを除いて、格差を経験していない。

実質的な収入の差よりも、深刻なのは、意識の問題だ。自分が低所得者層に属しているという意識は、その人を傷つける。そして、そういう傾向はすでに始まっていると私は思う。わたしたちはどうしてブランド品を欲しがるのだろうか。電車の車両一つに、少なくとも三個のヴィトンのバッグがあるのではないかと思う。もちろんヴィトンはいいバッグだし、本当にヴィトンが好きだという人も大勢いるのだろう。しかし、かなりの人が、ヴィトンを持つことで何かを主張しているのではないだろうか。ヴィトンのような高級ブランドは格差を隠蔽《いんぺい》する。

金を持てない男が増えていく

格差のある社会の最大の問題は、二つある。一つは、格差が世代間に受け継がれてしまうことだ。低いスキルや技術しかない親に育てられる子どもは、最初からハンディを背負ってしまう。

「みんな一緒」の均一社会では、とりあえずスタートラインが同じだったから、「鳶が鷹を生む」というようなことも多かった。だが、求められるスキルや技術のレベルは、昔と現在では大きく違う。グローバルリテラシーといわれる国際性では、語学だけではなく、異文化を理解する教養が求められる。そして、これからは今よりもさらに教育にお金がかかるようになる。

二つ目の問題は、均一的なロールモデルが消えてしまうということだ。男はいい大学に入って大企業や官庁に就職する、女は大企業や官庁に勤める男と結婚して子供を産み幸福を得る、というロールモデルが崩壊する。結婚しなければ生活していけないという女は、これからの社会では多大なリスクを負う。男に依存しなければ生活していけない女は、自分の運命を他人に託すことになる。それは多大なリスクだ。賢明な女は、男を選べるようなポジションを得たいと思うだろう。それは生活費を自分で稼ぐことができるかどうかにかかっている。それでも、リスクを実感できる分、女の方が男よりも有利かも知れない。社会の階層化の影響は、どちらかというと女よりも男のほうがシリアスだ。男は、これまで一律に威張ってきたが、たぶん今後そういうことはできなくなる。

バーや、飲み屋や和食屋などで、サラリーマンの団体と隣どうしに座ると恐ろしいことになる。彼らは、つまらない冗談を言い合って、一斉《いっせい》に、爆発的に笑う。団体内の序列もすぐにわかる。偉い人がジョークを言うと、全員が笑うからだ。そういったサラリーマンの序列は、やがて社会の階層化が進むにつれてなくなるだろう。長期雇用慣行が消えていくので、会社の仲間どうしで飲みに行くことは少なくなるし、上司が交際費で部下におごることもできなくなる。

これからは充分な金を持てない男が増えるだろう。企業利益は、一律にサラリーマンに振り分けられるのではなく、仕事ができさえすれば、女や若い人や外国人にも支払われる。没落するのは、これまで男性優位社会で威張ってきた男たちだ。

金がない男でも、大きく二つの階層に分かれるだろう。年収は少なくても、NPOなどで充実した人生を持つ男と、単に金も生き甲斐もない男だ。

この本の読者も、自分はどういう男を選ぶのかを、じっくりと考えたほうがいいのかも知れない。

「なぜ彼を好きなのか」答えられますか

山の中にこもって書き下ろしを書いていて、外界との接触がないまま、もう二週間経った。ちょうど参議院選挙の真っ盛りだが、山にいると、遠い世界の出来事のように感じられる。

構造改革とそれに伴う痛みが話題となったが、痛みとは何なのだろうか。それは失業と倒産だ。あなたは痛みに耐えられますか、みたいなアンケートがテレビのニュース番組などで行われているが、失業に耐えられるサラリーマンやＯＬは少ないだろうし、倒産に耐えられるという経営者はいないだろう。

自分は失業してもいいから構造改革を進めて欲しいという人はほとんどいないと思う。四十代の失業者は、住宅のローンや、子どもの教育費を抱えている。住宅を奪われるかも知れないし、子どもが進学できなくなるかも知れない。それはおそらくこの世の地獄だ。

勘違いしないで欲しいのだが、わたしが構造改革に反対だということではない。構造改革というのはやったほうがいいとかやらずに済ませたほうがいいという問題ではなく、どのくらい早く実行できるかが問われている。つまりつべこべ言わずにさっさと済ませなければどうしようもない事態を迎えることになるわけだ。

ただ、構造改革の悩ましいところは、全然痛みなんか感じない人と、この世の地獄を見る人に日本人が分かれてしまうという点にある。国民が一律に痛みを感じるわけではない。株価が八千円になっても少なくともわたしは困らない。困らない人は大勢いる。

「構造改革は一部の人にこの世の地獄をもたらし、その他の人には痛みなどありません。一部の人とは、ゼネコン、不動産、流通、一部の製造業といった業種で、返済のめどが立たない負債を抱える企業、それに競争力のない中小零細企業と地方の地場産業。天下りしようとしている官僚。特殊法人で甘い汁を吸ってきた人々。過疎の町に住む低所得者の人々。そういう人とその家族は地獄を見ますが、他の人にはたぶん何の痛みもありませんのでご安心ください」

という風に正直にアナウンスしなければフェアではないのだが、しない。

経済格差と恋愛の関係

恋愛エッセイでなんで構造改革の話題ばかりなのかと思われるかも知れない。重要なことは、これまで何度も書いてきたが、日本人の間に格差が生まれるということだ。今までも格差はあったが、それがさらに露《あら》わになる。そういった一体感の崩壊、つまりみんなだいたい一緒、という意識がなくなることに日本の社会は耐えられるだろうかということだ。

＊

先日、ある外資系金融機関で働く女性と話していて、プロポーズされているんですが彼の年収がわたしのちょうど半分なんです、という話題になった。二歳年上の彼はビデオ制作会社に勤めているのだが、不況で収入が減って、労働時間だけが異様に長いという状況らしい。

「年収が半分でも好きだったらかまわないんじゃないの」

とわたしは言った。彼女は「それが好きかどうかわからなくなってきたんです」と答えた。好きかどうかわからなくなってきた理由が年収にあるのかどうかわからないが、少なくとも影響はあるだろう、彼女はそう言った。

恋愛というのは意識よりやや深い部分で進行したり停止したりする。つまり、この人はいい人だから好きにならなきゃ、と意識して異性を好きになる人はあまりいない。この人は大企業の社長の息子だし好きにならなきゃ、みたいなことを思う人は確かにいるかも知れない。この人は医者だし都心に広いマンションも持っているので好きにならなきゃ、と思うような古いタイプの人もまだまだ多いかも知れない。だがそういう途上国型の考え方は、日本ではいずれ下層階級に限られたものになるだろう。

たとえば前述した外資系の金融機関に勤める年収千二百万・二十九歳みたいな女性は、彼が医者だからとか、金持ちの二代目だからという理由だけで男を好きになる必要がない。自分で好きな男を選べるからだ。そういう先進国型の恋愛の場合、意識よりやや深い部分で、相手を好きになることが多い。どうしてあの人を好きなのかわからないけど好き、というケースが多い。

尊敬があるのかも知れないし、セックスがいいのかも知れないし、母性本能をくすぐれるのかも知れないし、どういうわけか和むということかも知れない。誰が見ても絶対に別れたほうがいいというような、たとえばまったく生活力のない男とか、暴力団員とか、自分でもどういうわけかわからないまま相手を好きになることは少なくない。

自分でもわからないこと

わたしは一度、アメリカ人の女性彫刻家から、あなたのことが気になるんだけど自分でもどうしてかわからない、と言われたことがある。ＬＡのマリブに住むその画家は三十代前半のきれいな人で、かなり有名なアーティストだった。わたしは日本人で、妻帯者で、五十近い歳で腹も出ているし、身長も彼女のほうが高かった。ＬＡと東京でそれぞれ二度ほど一緒に食事をした。あなたと話していると気が落ち着くし楽しい、というようなことを言われたりしたが、わたしはどうして誘われるのかまったくわからなかった。

そのあと彼女からメールが来た。

「なぜあなたが気になるのか。セラピストと話してやっとわかった。小さい頃に別れたきりなので、ほとんど記憶がないんだけど、わたしの父は無名の小説家だった。それで中年の作家、つまりあなたと一緒にいると楽しくて落ち着いた気分になれたのだと思う」

わたしたちが人を好きになるとき、理由がわからない場合が多いのは、意識よりやや深い部分が働いているからではないかと思う。つまり普通の生活で使っている意識より深い部分で好き嫌いが決定されている。よく言われていることだが、普段わたしたちは脳の十パーセントくらいしか使っていないし、記憶のすべてを意識的に把握しているわけではない。

その映画のストーリーも主演女優の顔もよく憶えているのに、主演女優の名前が出てこない、みたいなことがある。意識が脳の働きのすべてをコントロールできていないことの小さな証拠だ。

さて、前述の外資系金融機関の女性に話を戻すが、恋人の年収が自分の半分だったことがわかって彼女は引いてしまった。自分が本当に彼のことが好きかどうかを疑うようになってしまった。単純に考えるとその女性は、男の価値を年収で判断してしまう計算高い人、というようなことになってしまう。しかし、恋人の年収が自分の半分だった、と知ったときの彼女の心の動きはそれほど単純ではないだろう。

「この男は、年収がわたしの半分だということが平気なのだろうか。妻の半分しか稼げなくてもそれでいいと思っているのだろうか。男女の関係というものはそれぞれの年収なんかに関係がないと考えているのだろうか。年収が半分だということは、悪い表現をすると、わたしにたかる、ということになるのかも知れないと思わないのだろうか。この男は、年収には関係ない魅力があると思っているのだろうか。ひょっとしたらこの男はわたしの経済力に惹《ひ》かれているのではないだろうか。わたしの経済力が目当てではないということをどうやって証明するつもりなのだろうか。どうやらこの男はそんなことはどうでもいいと考えているようだ。そういう男を一生の伴侶としてもいいものだろうか」

その女性は、そういったことを意識よりやや深いところで思ったのかも知れない。意識よりやや深いところで思ったことは、普段の生活の中ではなかなか言葉にすることがむずかしい。なぜ彼氏を嫌いになったの？　と友人から聞かれてうまく答えられない場合があるのはそのためだ。

本当に彼のことが好きかどうか自分でもわからないこともある。自分の気持ちを確かめる方法で、もっとも一般的なのは他人に相談することだ。不思議だが、仲のいい友人や親友よりも、たまたま電車で隣り合わせた人に対してのほうが率直なことを言えることがある。一般的ではないが、カウンセラーやセラピストに話してみるという方法もある。

また意外に効果があるのは、自分の気持ちを文章に書いてみることだ。だがその場合は決して自分の気持ちを飾ってはいけない。率直に、相手の好きなところ、嫌いなところ、改めてもらいたい態度、不快に思ったこと、いいなあと思ったところ、などを書いてみる。書くことで自分の気持ちがはっきりすることは多い。悩んでいる人は、夏休みの作文を書く感じで一度試してみたらどうでしょう。

自分を高く売れなければ意味がない

去年は時間の経つのが速く感じられた。歳をとるにしたがって時間の経過が速く感じられるようになるというが、昨年は特にそうだった。理由ははっきりしている。息子が大学に行って、家を出たからだ。家族が一人家からいなくなって、共同体が縮小し、基本的な関係性もそのサイズが縮小した。

それが良いことか悪いことかわからない。だが時間経過の感覚が他者に関係しているのは確かだと思う。一人で部屋に閉じこもって外部との接触を持たない人は、ひょっとしたら時間の経過がわからないのではないだろうか。

他者は面倒だ。いつもいい関係でいられるとは限らない。空腹だったり、寝不足のときなど、あるいは人生がうまくいっていないときなど、理由もなく苛立って言い争いをしたり、喧嘩が起きることもある。ペットだって、餌を与えなければ機嫌が悪くなるし、病気になると医者へ連れていかなくてはいけない。

その代わり、おいしい食事やワインを飲むときは一人よりも誰か親しい人間がいたほうが楽しい。いい音楽を聴いたり、面白い映画を見るときも同様だ。

家族が一人増える。あるいは家族そのものが生まれる。つまり結婚する。または同棲する。定期的に会い、同じ家か、同じ部屋か、同じベッドで一緒に過ごす時間が人生のベースになる。つまり、一緒に生きていく、というニュアンスだが、そういったもっとも親しい他者との関係の中で、わたしたちは時間の経過の感覚を持つ。

そういったもっとも親しい人間が、病気になったり、入学したり、転職したり、あるいはその人と一緒に旅行に行ったりする。あれは三年前の四月だった、あの年の春は桜の開花が遅かった、あの夏は暑かった、あの海はきれいだった、そうやってある時間の感覚、時間の経過の感覚がその人に刻まれる。

＊

家族、恋人、会社の同僚、学校やサークルの仲間、同級生、近所の人、時間を共有する他者はそれほど多くはない。この人にだけは嫌われたくない、この人の信頼だけは失いたくない、と思うような他者は少ない。この人がいなくなれば、生きていくのが本当に辛くなってしまう、という他者はさらに少ないだろう。

時間の経過は、そのような親しい人との関係性の中で確認されることが多い。もちろん他のファクターが時間を刻むこともある。一人暮らしで、仕事もないという、ほとんど他者との接触のない人はたとえばNHKの大河ドラマなどが始まって終わることで一年を実感するのかも知れない。

当たり前のことだが、テレビがない時代には、NHKの大河ドラマで一年を計ることはなかった。マスメディアからの情報を一方的に受け取ることで時間の経過を実感することが圧倒的に増えた。五年前は『タイタニック』と『もののけ姫』の年だったという記憶を持っている人も多いだろう。

テレビなどのマスメディアからの情報は、一方的に流れてきて、受け取るほうはその内容に関与できない。気に入らなかったら、チャンネルを変えるか、テレビを消すしかない。

テレビと違って、テレビゲームは情報に参加できる。コントローラーを使ってある程度情報のやりとりができる。だが、当たり前のことだが、テレビゲームの基本的な内容に関与することはできない。つまりテレビゲームでは前もって決められた選択肢以外の反応は望めない。

だが、五年前のことを『ドラクエ』を三週間でクリアした年だという風にインプットしている人も多いだろう。

市場にモラルは求められない

恋愛も、時間とその経過をわたしたちに刻む。恋愛の相手と出会った頃のこと、その季節、その頃ヒットしていた歌、その頃起こった大事件、世界的なニュースなどをよく憶えているものだ。一緒に行ったレストラン、映画、旅行なども強く記憶に刻まれる。大切な人と共有した時間がわたしたちの主要な記憶を作る。だから、出会いや別れは人生の重要なファクターになる。

現在進行している社会の市場化は、資本主義市場の原則がわたしたちの生活のありとあらゆる領域に進出し、浸透してくることを意味している。出会いが人生の重要なファクターであり、価値があるから、それは結婚紹介所やテレクラや伝言ダイヤルやインターネットの出会いの広場というようなビジネスを生む。市場社会は規範を解体していく。需要と供給があれば、そこに市場が生まれる。グッチのカバンが欲しい女子高生と若い肉体に憧れる中年の男たちがいれば、援助交際という市場が生まれる。東南アジアや中南米では臓器を売買する市場が現れようとしている。

そういった市場社会にモラルや規範を求めるのは無理がある。効率と利益を求めるのが市場社会である以上、ストックオプションで数億の金を稼ぐ人が許されて、女子高生が中高年の男とカラオケを一緒に歌って三万円を稼ぐのは許されないというのは非常にわかりにくいし、そういった規範について説明できる人はほとんどいない。

資本主義が高度に発達した市場社会では、何かを売らないと生きていけないということが日々アナウンスされている。会社に行ってもただ窓際に座っているだけというサラリーマンは自分の時間を売っているのだ。売るものを何も持っていない人間は、自分の体や内臓やプライバシーを売らなければいけない場合がある。

名前や技術や容姿に付加価値のない芸人やタレントは、裸になったり血を流したりバンジージャンプに挑戦したりしなければ自分を売り込むことができない。

恋愛がビジネスになる日

誰もが何かを売って生きているわけだが、そのことはまだタブーに近く、はっきりとアナウンスされることがない。また市場社会は全面的な悪かというとそうでもない。愛情や誠意という、大事ではあるが曖昧《あいまい》なものに比べて、お金はわかりやすく、また交換も貯蔵も簡単だからだ。

市場が社会の隅々まで浸透していなかった頃は、失業しても、田舎に帰れば大家族が養ってくれたり、親戚が就職の面倒を見てくれたりした。痴呆《ちほう》になっても、誰かが面倒を見てくれたりした。今よりもはるかに貧しく、平均寿命も短く、健康保険がない時代、現在のような形のホームレスはいなかった。だが、その大家族制の陰では「お嫁さん」が犠牲的な労働を強いられていたし、次男や三男、それに分家の人々などは一種の差別的な制度の犠牲になっていた。

市場社会は残酷だ。訓練と学習による知識や技術のない者、容姿が美しくない者、資産のない者は、市場に対し売るものも持たないから、貧弱なサービスしか受けられない。

恋愛はいずれもっとはっきりとしたビジネスになるだろう。自分を高く売ることのできる男と女が出会う場所がビジネスとして成立するだろう。それは会員制のクラブかも知れないし、インターネット上の有料制の出会いのサイトかも知れないし、スノッブなバーやレストランかも知れない。

だが繰り返しになるが、市場社会には悪い面ばかりがあるわけではない。これまで愛情や誠意やボランティアといった口当たりのいい言葉でごまかされてきた行為が経済的に評価されるような仕組みが生まれる可能性もある。

地球環境を守るというボランティア活動が、たとえば環境税といったものが導入されることによって付加価値を生むようになるだろう。インターネットが本格的に普及すれば、人格や才能や人気の度合いを計量化することもできるようになるかも知れない。インターネット上にはっきりとした共同体が生まれれば、人気や評価の度合いを数字で表すことは簡単だ。

だが、いずれにしろ個人的な格差が露《あら》わになる。大多数の人は没落するだろうが、そういう人々、つまり恋愛ができず、恋愛を市場で手に入れる経済力もない人々のためのセイフティネットが準備されていないし、準備されようともしていないし、必要性さえ問われていない。

わたしは没落層のことを心配しているわけではない。市場社会の本質を知らせるアナウンスがないことがフェアではないと言っているだけだ。

恋愛のリスクとコスト、そして利益

小説の新刊が二冊出たので、サイン会をした。あまりサイン会はやらないことにしている。読者を大事にしたくないわけではなくて、わたしの名前を本に書いただけで、それが価値があるものになるとはいまだにわからないのだ。人前に出るのも苦手だ。一対一ならいいが、不特定多数の人々の前に出ると、どう対処していいかわからなくなる。

しかも、不特定多数の人々はわたしのことを知っているが、わたしは彼らのことを知らない。そういう関係は不安定だ。わたしはどういう態度を取ればいいのかわからない。したがって、厳密に言えば、サイン会などでわたしは演技をしていることになる。もちろん本を買って、整理券を持ち、長い間並んでくれる読者の存在はうれしい。本当にありがたいという気持ちになる。だからこそ、どういう態度を取ればいいのかわからなくなってくるのだ。

サイン会に来てくれたのは、新宿と渋谷という場所柄もあるのかも知れないが、ほとんどが二十代の若い人たちだった。わたしは自分の息子くらいの年代の人々にサインをしたわけだが、不思議な感じだった。どうして四十八歳の作家の作品を十代や二十代の若者が読むのだろうか、と思った。もちろん読者層が若いということは非常にうれしいことではあるが、不思議な感じがするのだ。

何人かの読者から手紙をもらった。

「わたしは昔、友達の彼とエッチしたことがあって、そのとき友達にばれてしまって、彼女はわたしにジュースをかけたりして、怒りましたが、わたしは別に罪の意識とかなくて、悪いことをしてしまったかなあ、くらいにしか考えていませんでした。それで今、わたしには彼がいるんですが、いつかこの男もわたしの友人とエッチするのだろう、と考えると頭がおかしくなりそうになります。つまり、わたしは、昔わたしがしたことに復讐されているわけです。友達の彼とエッチしたときはそんなこと考えなかったのですが、今になって、裏切ったことの報いを受けているという感じです」

そういう趣旨の手紙があった。

「友達の彼とエッチした」

わたしはそういった経験がない。つまり友達の彼女とか奥さんと恋愛関係になったことがない。昔から、一盗二婢と言って、セックスにおいては他人の女（男）を盗《と》るのがもっとも刺激が強く、二番目が下女や召使いを強引に誘惑することだというような俗説があった。

今は、いろいろな意味でセックスが簡単になっているから、友達の彼（彼女）と軽い気持ちでエッチしてしまったという人も多いだろうと思う。わたしに手紙をくれた人も、きっと軽い気持ちでエッチしてしまったのだろう。その後、自分の彼も同じことをするだろうと想像して苦しむ、などとは思いもつかなかったに違いない。

だが、手紙をくれた人は良い人だ。良い音楽とか、良い素材のシャツとか、良い年代のワインとかと同じ意味の「良い」人だ。それは、自分の経験をもとに、相手の立場に立って考えているからだ。

「わたしは友達の彼とエッチしたが、この男はそういうことはしないだろう」

という風に都合よく考えることもできる。だが、この女性は違う。

「わたしが友達の彼とエッチしたように、この男もわたしの友達とエッチするだろう」

と考えている。危機感に基づいた想像力が働いているからそういう考え方になる。友達の彼（彼女）とエッチするのは道徳的に悪いことだが、わたしはこのエッセイでそういうことは止めなさいと言うつもりはない。

友達の彼（彼女）とのセックスそのもので誰かが死ぬわけではないし（そのあとで誰かが自殺するというような可能性はある）、わたしは説教するのが嫌いだし、とにかく大した問題ではない。

ただ自分がとる行動には必ずリスクがあり、法的にあるいは道徳的に許されない行為をするとそれなりのコストを払わなくてはならない。そのリスクとコストを正確にイメージできれば、友達の彼（彼女）とエッチするくらい大したことではない。

＊

以前「どうして人を殺してはいけないのですか？」と子供に聞かれて、ニュースキャスターが困っていた。人を殺すのがどうして悪いのか、というのは大問題だ。世界中の宗教や倫理学者が殺人は罪であるということを規定している。そうやって決められているから人を殺してはいけないのだ、という説得の仕方もできる。だがそれよりもやっかいなのは、人を殺すことは悪いことではないと認めると、自分が殺されても文句は言えないということだ。

つまり「どうして人を殺してはいけないのですか？」という質問者は、自分が殺されるという可能性を考えていない。

わたしが友達の奥さんや彼女と恋愛関係に陥ったことがないのは、自分の友達がいやな思いをするのがいやで、それが非常に高いリスクを生むからだ。自分が同じことをされたら、非常にいやな思いをすることを相手にしたくない。

非常に高いリスクを生む、という感覚はわかりにくいと思う。友達の恋人を奪えば、ある種の征服感があって、性的にも興奮するかも知れない。しかも黙っていれば友達にもばれないかも知れない。だが、もしばれたときのコストを考えてみると、エッチの気持ちよさや一種の征服感などよりもはるかに高くつく。

結局はその友達を失うことになる。その友達を失っても別にかまわないというような場合、それは友達とは言わない。単なる知り合いだ。友達を失うというコストを払う危険性のある行為はリスクが大きすぎる。

SEXにも大きなリスクがある

わたしたちはリスクやコストについて考える習慣がない。友達を失うリスクとそのコスト、みたいなことを言う人はあまりいないし、学校でも習わなかった。だがわたしたちは日々リスクを負い、コストを払いながら生活している。ほとんどの行為にリスクがあり、コストがかかる。では何のためにリスクを負いコストを払っているかというとそれは当たり前だが、自分自身の利益のためだ。

リスクとコストについて、多くの場合わたしたちは無自覚で計算している。たとえばあなたが恋人の誕生日に花をプレゼントするとき、お花の代金があなたのコストだ。しかし相手が喜んでくれる。相手が喜んでくれてあなたもうれしくなる。そのことが利益だ。相手もあなたを好きな場合は、ほとんどリスクのない行為だと言える。しかし、相手の気持ちがわかっていない場合、つまり相手があなたを好きかどうかわからない場合には、こんな安っぽい花なんか送ってきて何て嫌なやつだろう、と思われるかも知れない、というようなリスクが生まれる。相手の反応がわからない。それがリスクとなるわけだ。どうしようかな、と悩むとき、わたしたちは無自覚のうちにリスクとコストと利益について考えている。

だから本当は自分の友達の彼（彼女）とエッチする前に、その行為のリスクとコストを考えてみなければいけない。利益ははっきりしている。ドキドキするし、気持ちいいし、友達を出し抜いたような快感もある。

ただし、エッチの前、はそういったリスクやコストについて考えにくい精神状態になっていることが多い。お酒が入っているときもあるし、神経は高ぶっているものだ。だから、わたしはこの男（女）と今からエッチしようとしているけどその際どの程度のリスクを負い、最悪の場合にはどのくらいのコストを払うことになるのだろうか、と冷静に考える人はあまりいないだろう。

そういう状態を、ちょっと昔の言葉だが、「魔が差す」という。つまり、悪いとは知りつつもついやってしまった、まるで悪魔の囁《ささや》きを聞いてしまったようだ、というようなニュアンスだ。

コストと利益、それに伴うリスクという概念は知っておくと便利だ。結果次第によっては膨大なコストがかかる、というような場合リスクが大きいということになる。

パラサイト・シングルに恋愛は可能か？

ローマやミラノで日本人の団体客がブランド名が入っている大きな袋をいくつもぶら下げているのを見るたびに、日本は本当に消費不況なのだろうか、と不思議に思っていた。長く続いている不況の主な原因と言われているのが個人消費の停滞だが、国内でもいわゆるブランドものは売れている。エルメスやプラダ、グッチやルイ・ヴィトンなどまったく売り上げが落ちていない。高価で贅沢《ぜいたく》な商品が全般的に売れているわけでもない。たとえば高級車やゴルフバッグやスキー用具は売れていないし、銀座のクラブ（ホステスがいる飲み屋のほうです）や赤坂の料亭は何軒も廃業に追い込まれた。

『パラサイト・シングルの時代』（山田昌弘　ちくま新書）という本を読んで、そういった現象が少し理解できるようになった。パラサイト・シングルというのは親と同居する未婚者のことだ。学生は含まれない。就職した後も親と同居している未婚者、失業中あるいはフリーターをしながら親と同居している未婚者を指している。

同書によると、その数は一九九五年の時点で、年齢を二十歳から三十四歳に限定して、男女それぞれ約五百万人ということらしい。つまり九五年当時で約一千万人のパラサイト・シングルがこの日本に存在し、現在はもっと増えているはずだと著者の山田氏は言っている。パラサイト・シングルは基礎的な消費を親に依存しているから、自分で稼いだお金を自分が好きなものの購入に充《あ》てることができる。住居費も光熱費も家での食費も要らないので、外食費や海外旅行、ブランドものの衣類やバッグ、靴、腕時計、アウトドアグッズや音楽・ゲームソフト、オーディオ機器、携帯電話、ゲーム機器、パソコンなどに稼いだお金を充てることができるわけだ。

要するに、現在ヒット商品として売れているもの、その他売れ筋の商品を支えているのはおもに彼らなのだ。とにかくパラサイト・シングルは一千万人もいるわけで、その経済力というのは無視できるものではない。

永遠に寄生することはできない

パラサイト・シングルがどうして家を出て自立しないのか、あるいは結婚しないのかというと、親に資産があって、家を出ると基礎的な出費が必要になって貧乏になるから、ということだそうだ。彼・彼女らは、親と一緒の有利な暮らし、豊かな暮らしを捨てたくないということらしい。

一見合理的に見えるが、何かおかしい。パラサイトというのは寄生、あるいは寄生虫という意味だが、問題は永遠に寄生はできないということだ。本物の寄生虫も宿主が死んでしまうと寄生できなくなる。パラサイト・シングルはいずれただのシングルにならざるを得ない。

だがそんな先のことなんか考えていないのだろう。今が楽しければそれでいいし、豊かな暮らし、気ままな暮らしが最高なのだとパラサイト・シングルの多くは考えているのだと思う。自分で選んだライフスタイルなのだからおせっかいなことを言うな、と彼らは思っているかもしれない。

十五歳から二十四歳までの若年層の失業率は十パーセントを超えているが、治安の悪化など社会不安は起きていない。大学や高校の新卒者の就職状況は最悪だが、就職先を確保してくれと彼らがデモをしているわけでもない。そういった状況にパラサイト・シングルの存在が大きく影響している。

親と同居していれば別に就職できなくても困らない。フリーターという便利な言葉は、失業者という暗いイメージを変えるものであっという間に世の中に普及し定着した。援助交際も同じだが、多数の需要があればその言葉はあっという間に定着する。

パラサイト・シングルは良いことだらけのように見える。彼らのせいで治安は悪化していないし、失業率の高さが社会不安を引き起こすこともない。しかし、パラサイト・シングルは病的で歪《ゆが》んだ事件を起こすことがある。京都の小学生刺殺事件や新潟の少女監禁事件の容疑者は典型的なパラサイト・シングルだった。もちろんパラサイト・シングルのすべてが病的で歪んだ事件を起こしているわけではないので、その関連性は慎重に論議しなくてはならないだろう。そしてパラサイト・シングルを一括《ひとくく》りにすることは危険だが、共通した特徴があるのも確かだ。

＊

わたしは高校を卒業する頃、家を出たくてしようがなかった。九州の田舎だったから都会に出たかったというのも確かにあるが、思い返してみると、とにかく家を出たかった。親と離れて暮らしたかったのだ。わたしがそうだったから、今のパラサイト・シングルが不自然だと言いたいわけではない。

実家を出て一人暮らしをしたいという欲求が相対的に減っているのはなぜだろうと不思議に思うだけだ。『パラサイト・シングルの時代』には、親と一緒だと豊かな暮らしが維持できるからだと指摘してあった。結婚のコストパフォーマンスが低下しているという指摘もあった。結婚したいという人が激減しているわけではないのだが、実際に結婚しないヒトは確実に増えている。

親との同居はSEXに不便だ

それにしても、ずっと親と一緒に暮らすことはできないわけだから、できるだけ早く一人で住んでそのための訓練というかシミュレーションをしたいと思うほうが自然な気がする。若い人で、家を出たいと思っている人は男女を問わず今でも大勢いるだろう。自立の欲求が完全に失われてしまったというわけではない。

多くの若い人が自立してもろくなことはないと考えているのは、何となく理解できる。自立するためのリスクとコストは小さくないし、自立で得られる利益は不明だ。

わたしは繰り返し自立していない人間に恋愛はできないという風に書いてきた。それではパラサイト・シングルに恋愛は不可能なのだろうか。

わたしはパラサイト・シングルという立場でも恋愛は可能だと思うし、親と同居していても自立できている人はいると思う。それは、その人が充実した仕事を持っている場合である。わたしの周囲には多くのパラサイト・シングルがいる。彼らは映画評論家だったり、カメラマンだったり、ダンサーだったり、編集者だったり、大学教授だったり研究者だったりするが、未婚で親と同居していて、かつ自立しているので、彼らをパラサイト・シングルと呼ぶのは少し抵抗がある。中には親を養っていたり、年老いた親の面倒を見たりしている人もいる。だがそういった人は自立はしているが、実は恋愛を維持するのが簡単ではない。まず親を養っている人は恋愛のために必要な時間が不足しがちだし、たとえば恋人とセックスする空間がないという場合もある。

親と同居している場合にもっとも困るのはその点ではないかと思う。つまりセックスに不便なのだ。三十になってラブホテルに行くのは抵抗があるのではないだろうか。どちらかが独立した住居を持っていればいいのだが、男も女もパラサイト・シングルの場合はセックスの場所探しが大変だ。

パラサイト・シングルの最大の欠点はセックスの場所の確保がむずかしいということではないだろうか。アパートやマンションに一人住まいしている相手を見つけるか、カーセックスをするか、ラブホテルかシティホテルをとるか、友人や知り合いの部屋を借りるか、そのくらいしか方法がない。

そう考えると、パラサイト・シングルがストーカー的になったり、性的に異常な事件を起こしたりすることが、ある程度納得できる。もちろん親との共依存関係、特に成人した息子と母親の密着は心理学的にも大きな問題があるらしい。

新潟の少女監禁事件で容疑者は誘拐した少女をまるでペットのように扱っていたようだ。

容疑者は逮捕後、あの子は本当に可愛《かわい》かった、というようなことを繰り返し言っていた。映画『コレクター』のようなモンスター的な性犯罪者というより、大人の女とコミュニケーションできないタイプの脆弱《ぜいじゃく》なパラサイト・シングルの姿がそこには見受けられる。

高校を卒業したとき何としても家を出たかったのは、思い切り自由にセックスがしたかったからではないか、と自分自身に今確かめてみると、うーん、そうかも知れない、という答えが返ってきそうだ。

読者のみなさんはどうだろうか。介護をしているわけでもなく、三十を過ぎて親と同居しているような男のことを気持ちが悪いとは思わないだろうか。わたしははっきり言って、同性でも気持ちが悪い。

セックス、同棲、不倫…そのモラルと現実

NHKスペシャル『失われた十年』という番組を作っていた時、そのために戦後復興期から高度経済成長の時代の映像を見た。木村伊兵衛《きむらいへえ》という有名な写真家が撮った一九五〇年代の日本の子どもたちの写真などは圧巻だった。

どういうことかと言うと、その写真は日本には見えない。一九五二年生まれのわたしでもチベットかどこかを写したものではないかと思ってしまう。明らかにひどく貧しいが、自然が残っていてどこか暖かみがある写真だ。若い人に見せると、一瞬考えたあとで、昔の日本ですか？　と言うが、彼らは教科書で習った昔の日本を思い出してそう答えるのだ。つまり、その写真の中にある人物と風物は、彼らの中で現代と連続していない。

たとえばわたしたちが明治初期の日本の写真を見るとき、これは明治初期の日本だ、という前もって与えられた情報で、その写真が約百年前の日本だということを理解する。十年前の自分の写真を見るときはどうだろうか。わたしが十年前の写真を見たら、この

頃はまだ若かったな、と思うだろう。若い人が十年前の写真を見たら、当時が懐かしいと思うかも知れない。そうだ、この写真に写っている人物は間違いなくわたしだ、という風に意識して思う人はいない。

昔の写真・映像を見て、これは日本だ、と理解するということは、一瞬心のどこかで、この写真はどこを写したものなのだろう？　と考えているからだ。十年前の自分が写っている写真を見て、これはいったい誰だ？　と思う人はいない。だから、これはおれだ、とわざわざ自覚する必要はない。もし十年前の自分の写真が、赤ん坊時代に親戚の人が撮ったものでそれまで見たことがないものだったら、一瞬この赤ん坊は誰だ？　と考えて、そして、これはわたし自身だ、と納得する必要がある。

＊

どうして恋愛に関するエッセイなのに高度経済成長時代の話をするのだろう、と疑問に思われるかもしれないが、恋愛はその時代のライフスタイルに大きく依存している。

高度経済成長以前の日本人のライフスタイルは江戸時代とあまり変わるところがなかった。ライフスタイルというのは、文字通り生活のあり方ということだ。極端な例だが、あなたが犯罪者として刑務所に入っているとしたら、恋愛のあり方は極めて限定されたものになってしまう。セックスもキスもできないし、そもそも男との出会いのチャンスがない。

人口百人以下の村役場に勤める二十三歳の出納係《すいとうがかり》と、丸の内の外資系証券会社に勤める二十三歳のファンドマネージャーでは恋愛のあり方が違う。恋愛がライフスタイルに依存するというのはそういう意味だ。

高度経済成長以前、ほとんどの出産は自宅で産婆によって行われていた。高度経済成長以後、九十九パーセントの出産が病院で行われるようになった。一九五〇年当時日本の就業者の二人に一人は農民だった。当時、日本全国で適齢期を迎えた女性の半分が農家へ嫁いだのだ。

一九五〇年当時、日本の家庭にある電気製品といえば電球だけだった。電気洗濯機や冷蔵庫、掃除機、炊飯器などが爆発的に普及するのは一九六〇年代だ。その頃の主婦や家事手伝いの女性は、手で洗濯をしていた。大学へ進学する女性はもちろん、高校へ行く女性もごく少数だったので、十六歳頃から結婚するまでの女性は「家事手伝い」というカテゴリーに属していた。

女性たちはたらいに水を溜め、洗濯する衣類を洗濯板というギザギザのついた板にこすりつけて洗っていた。すすいだあと、水を絞るのも手でやらなければいけなかった。どうやってバスタオルを手で絞ることができたのだろうかという疑問が湧くだろうが、当時はバスタオルというものが存在しなかったのでそういう心配は不要だった。ガス湯沸し器のない冬の洗濯がどれほど辛い作業か、また女性の時間をどれだけ奪っていたか、おそらく今の若い人は想像ができないだろう。

勘違いしないで欲しいのだが、こういう昔話をしているのは、昔の女性が偉かったと言いたいからではない。手で洗濯をしなければならなかった昔の女性は、全自動洗濯機で洗濯をする今の女性より、洗濯に時間をとられる分、恋愛をする機会に恵まれなかったということだ。現代の主婦が、不倫をしたりテレクラで売春したりできるのは、電気洗濯機や掃除機のおかげだと言うこともできる。

〝婚前交渉〟はタブーという空気

高度経済成長の頃、婚前交渉はタブーだった。今は婚前交渉という言葉そのものが死語になっている。自分の娘が籍を入れないまま同棲するなど、普通の家庭なら絶対に許されないことだった。

からだを求めてくる男に対して、婚約するまではダメよ、と拒否する女性は絶滅しようとしている。ギャグ以外には、そういう女性をテレビドラマで見ることもなくなった。

「わたしは二十五歳を過ぎていますが実は処女なんです。セックスをしてくれませんか」

わたしの友人は、ネットで知り合った女性からそういうメールをもらう機会が多いらしい。でもどうせブスだろうから絶対に会わないんだ、と彼は言っていた。結婚までは処女でいよう、と思っている女性は今や変人扱いされるだろう。

高度経済成長当時、圧倒的多数の女性は生きていくために結婚する必要があった。女性の職場が限られていたからだ。わたしの母親は教師だったが、小学校時代、働く母親を持つ生徒はクラスでわたしだけだった。事務職などの女性も、結婚のために辞めることが多いので、企業は女性の採用に消極的だったのだ。寿退職、という言葉も今は死語になろうとしている。

そういう時代、できるだけ自分を高く売るためには、つまりできるだけ有利な結婚をするためには、結婚まではセックスをしないというモラルが必要となる。結婚できないと人生が非常に不利になる、という場合、結婚前にセックスを許すのはリスクが大きすぎる。やられ損、の危険がある。

結婚まで処女を守る女はいない

そういうライフスタイルの時代には、婚前交渉は悪いことだ、というモラルができる。そしてリスクが大きいわけだから、そのモラルは社会的に受け入れられ、広く定着する。同様に、結婚が破綻《はたん》する危険性のある不倫も社会的な悪となる。

確かに、婚前交渉という言葉は死語になったし、二十五歳の処女は気持ちが悪いという風潮も生まれている。だが、メディアを始めとして、同棲や婚前交渉がモラルに反しているという空気はまだ残っている。有名人が同棲を始めたら、間違いなく写真週刊誌や女性誌のターゲットになる。結婚して一緒に住むよりもニュースのバリューは大きい。たとえばの話だが、総理大臣や財務大臣の娘が結婚して男と住んでいても写真週刊誌のネタにはなりにくい。だが、同棲ならどうだろうか。

そういった事実は、結婚や同棲についてのモラルが風潮としてはとっくに崩壊していても、習慣としては依然としてまだ残っていることを示している。そういうときに、娘が男と同棲していると知った親はどうすればいいのだろうか。

もしあなたの娘が男と同棲していたらこういう態度をとるべきだ、というような一般的な回答はない。問題はその男であり、その娘だ。同棲相手が、高卒の無職のヤクザとアメリカに六年留学した医学者では、親の対応は変わらざるを得ない。娘が何をしているのかも問題だ。風俗でバイトしている娘と、弁護士資格を取ろうとしている娘では、親の対応は違うだろう。

風潮としては崩壊しているのに習慣としては残っている、という問題は少なくない。いい大学に入りさえすればいい会社に入れるという風潮ははっきりと崩壊しているが、その習慣はまだ健在で、受験が原因の殺人事件が起こったりする。一流会社の男と結婚すれば幸福になれるという風潮も崩れ去っているが、結婚相談所のアンケートには必ず会社名を記さなければならない。

離婚は増え続けている。いずれアメリカのように離婚率は五十パーセント近くに上昇するだろう。結婚に関するコストと利益の関係はこれからさらに変化するだろう。ライフスタイルは確実に変化しているがそのアナウンスはあまりにも少ない。いまだに多くの人がだまされ続けている。

「選ばれる」ことは本当にいいことか

「さて、地球と人類の終わりを迎えるとき、あなたは誰とどんな時間を過ごしますか？」と以前エッセイで書いたことがあるのだが、その後、あまり意味のない問いかけのような気がしてきた。そういった終末的なテーマの映画はハリウッドを中心に流行している。『インデペンデンス・デイ』『アルマゲドン』『ディープ・インパクト』など。

地球が終わるときに誰と過ごすか？　地球が消滅するときにどんな人間が生存を許されるか？　つまり、シェルターに入ることを許され、選ばれるのはどういう人物か？　そういうシミュレーションは不健康だと思うようになった。

幼い子どもに、「パパとママが離婚したらどっちについていきたい？」と質問するのに似ている。悲劇的で決定的な状況を想像させて、誰を選ぶかとか、誰を助けるべきかとか語り合うのはフェアではないと思う。自分の家族や恋人や友人たちに序列や優先順位をつけるのはおかしいし、そういった想像は差別につながりやすい。

巨大な隕石が地球に衝突するという『ディープ・インパクト』という映画では、シェルターに入る人選で、政府の要人、医者、科学者、軍人などが優先され、あとは抽選で選ばれていた。人間の生活に何が優先するかわからない。シェルターでの閉鎖的な生活で本当に重要なのは、医者なんかではなくたとえば漫才師や落語家かも知れない。祈禱師《きとうし》かも知れないし、奇術師かも知れない。それは本当は誰にもわからない。何の資格も技術もない近所のおじさんがものすごく貴重な役割を果たすかも知れない。

でも、シェルターでの生活をシミュレーションしてみることはできないので、結局はさっきあげたような人種になるのだろう。政治家、医者、科学者、軍人などである。わたしは、そういう人種だけがまわりにいるようなシェルターに何が何でも入りたいとは思わない。生きるということはそういうことではないような気がする。

＊

フェリーニの『道』という映画に有名なシーンと台詞《せりふ》がある。ジェルソミーナという、少し頭が弱い主人公が、サーカスの軽業師《かるわざし》に聞く。

「わたしはダメな人間で、誰の役にも立っていないと思う」

すると軽業師は地面の石を拾って、それをジェルソミーナに示しながら、「この小石だって何かの役に立っているんだよ」と言うのだ。

感動的な台詞だが、同じ言葉でもシチュエーションが違えばニュアンスが違ってくる。たとえば、リストラされようとしているおじさんがいる。おじさんは人事部長に呼ばれ、クビを告げられる。がっかりしたおじさんに、人事部長は机の上に置いていた小石を拾って、がっかりしてはいけないよ、と言う。

「クビになったからといって、君が役に立たないというわけではない。この小石を見たまえ。この小石だって何かの役に立っているんだよ」

そういうことを言われたら、おじさんは中央線に飛び込もうかと思うかも知れない。

あるいは、たとえば中学校のクラスでいじめが起こっている。どうしてA君をいじめるの？　と教師がクラスのみんなに聞く。だってA君はどんくさいし頭も悪いし見ているだけで頭に来るんだもーん、とクラスのみんなが言った。そこで教師は校庭に出て地面に落ちていた小石を拾い、クラスの生徒に言う。

「みんな、この小石だって何かの役に立っているのよ。A君だってきっと何かの役に立っているんだから、いじめてはダメよ」

映画では、あるたったひとつの台詞を主人公に言わせるために、何億何十億という制作費が使われることがある。小説でも同じことで、言葉にしたらたった一言「元気を出せ」みたいなことを伝えるために四百字詰め原稿用紙で何百枚という長編小説を書くこともある。

映画などで仕入れたかっこいい台詞というのはいつでもどこでも使えるとは限らないということです。

景気の良し悪しと恋愛の関係

最近、ジャパン・メール・メディアという金融・経済がメインの電子メールマガジンの編集長をやっている関係もあって、エッセイでも経済のことを書くことが多くなった。たとえば「一律的な社会」が終わるとか、自分に訓練を課していない人間は生きにくいとかそういうことだが、考えてみると、この本を読んでいる読者は景気がいい時代というのをほとんど経験していないのではないだろうか。バブル経済はともかく、高度経済成長というものを誰も実感できないだろうし、とにかく景気がいい、というのはどういうことなのかわかる人は少ないのではないだろうか。ちなみに、景気がいいというのとバブル経済は少し違う。日本のバブル経済というのは、どう考えても必要とは思われない若い美人社員を何人もなぜか不動産業者などが雇っているような、そういう時代だった。景気がいいというのは、自分の親の世代よりも自分たちの世代のほうがいい暮らしができるだろう、という漠然《ばくぜん》とした実感が持てる状況のことだ。

今の二十代の女性はどうなのだろうか。これから自分たちの親より豊かな暮らしができるはずだという実感を持って生きているのだろうか。たぶんそんなことを考えたことがないという人がほとんどかも知れないし、当たり前のことだが、その人の状況によっても違うだろう。就職に苦労している人や、就職したけど職場がまったく合わないという人たちと、これぞ天職という仕事で充実した毎日を送っている人では景気の実感も違うだろう。

男性選びに適した時期

とこうやって書いてきて、漠然とした「景気」というものが若い女性の暮らしに果たして関係あるのだろうかという気がしてきた。景気、という言葉が正確に何を意味しているのかもどうもはっきりしない。パーティなどでみんな暗い顔をして元気がないときなどに、みんな不景気な顔するなよ、などと言うし、ひとつ景気づけにおれが一発歌うか、みたいな場合もある。景気がいいというのは、なんかこう、にぎやかで勢いがある、というような感じだろうか。もちろんお金にも関係している。仲間が集まってみんなの持ち金が四十五円しかないときに景気よく騒ぐのはむずかしい。一人だけ景気がいい、という状況も想像しにくい。景気というのはあくまでも周囲の状況に関係しているのだ。

景気のいい恋愛、というような言い方はあまり聞かない。あるカップルに対して、あの二人最近景気いいみたいね、という言い方はない。

「景気が悪い時代に人気のある女性」というのはどういうタイプだろうか、一瞬考えてみたが思いつかなかった。ガハハハハハと意味なく笑うコメディアンみたいな女を想像してみたが、無理があるようだ。

こうやって考えてきて、景気と女性というのは就職難みたいなことを除けばまったく関係ないような気がしてきた。不況にもいろいろなタイプがあるらしいが、現在の不況は、時代の大きな変わり目だといわれている。時代の流れに取り残されている男も多いが、時代などという漠然として曖昧《あいまい》な概念に関係なく自分が選んだ仕事を淡々と進めている男もいるし、時代の先端を行こうと自分に訓練を課して努力している男もいる。

男を選ぶのは不況のときがいいような気もするが、はっきりしない。むずかしいかも知れないけど、景気に関係なく生きることができれば、最高なのかも知れない。

果たしてその恋愛に希望はあるのか

ちょうど一年前の雑誌連載の原稿を読み返していたら、希望について書いていた。

「今、希望はどこにあるのだろうか？　この二、三年来ずっと考えてきたのだが、希望は今の日本のどこにもないような気がする。まったく希望がないということを、たとえば総理大臣のような偉い誰かがはっきり言った方がいい。希望がきっとどこかにあるはずだという誤解があるから、人々はたとえばオウム真理教などに簡単にだまされるのだ。

それでは、希望がなくても人間は生きていけるものだろうか。生きていけない、とわたしは思う。現実の苦難に耐え、生き延びていこうとするモチベーションを生むのは、未来への希望しかない」

希望、を三省堂ハイブリッド新辞林で調べると、
（1）ある事の実現を願いのぞむこと。
（2）将来によせる期待。

という風に書いてあった。
（1）はどちらかと言えば具体的だ。
例：「わたしの長年の希望が叶《かな》った」
（2）は少し漠然《ばくぜん》としている。
例：「もはや人生に希望が持てない」
今、希望はどこにあるのだろうか、というとき、実現したいと望む具体的な何かがあるか、という意味と、未来がよいものになりそうだという漠然とした思いがあるか、という二つの意味があることになる。

＊

希望に燃えて、というような言葉は、新入生になると歌わされる校歌の歌詞に多い。燃えるというのはどういう意味だろう。要するに、熱くなっているわけだ。エネルギーが充ちて、アドレナリンその他の興奮物質が脳内に分泌されている状態だ。やる気が有り余って、そこら中を走り回りそうな状態、といった感じだろうか。

希望に燃えて、と言うと、何かいいことがありそうだと胸をときめかせているような状態というようなニュアンスもある。（1）の、あることの実現を望む、というのは欲求という言葉に近いが、わたしには欲求がある、というのと、わたしには希望がある、というのは明らかにニュアンスが違う。

わたしには彼とセックスしたいという欲求がある、というのは普通だが、わたしには彼とセックスしたいという希望がある、という言い方はほとんどない。おそらく欲求というのは生理的な側面が強く、欠落感も強い。何かが欠けているから、それを補いたいというある種の緊張状態を指すこともある。欲求不満という言い方はあるが、希望不満という言い方はない。

こういうことをいちいち書いていくと、本当に希望というものは必要なのだろうか、という疑問が湧いてくる。希望は水や空気のようなものなのだろうか、ということだ。

たとえばＨＩＶの感染者は、希望を持つ人と、そうでない人ではエイズの発症時期・病状に違いがあるそうだ。最近では、安らげる家庭を持つ人とそうでない人では、免疫力が違うという調査結果も出ている。『ＫＹＯＫＯ』という映画を撮る前に、アメリカ東海岸の、ＨＩＶ感染者が作るエイズ患者のためのボランティア団体を取材した。エイズ患者にとって、もっとも大事なのは希望を持つことだが、言うまでもなく、それは何よりもむずかしいことだ、そういうことを言われた。

悲しみから生まれるもの

ＨＩＶ感染者やエイズ患者に限らず、人生には辛い時期や悲しい出来事や絶望的な状況が必ずある。どんな人間にも別離はあるし、親しい人や自分自身の死から逃れることはできない。希望はそういうときに必要になる。いつもいつも持っていなければいけないものではない。だが、不幸や悲しみに襲われて、そのときになって急に希望を探してもたいてい見つからない。

中央線に飛び込むおじさんが増えているらしい。自殺者が年間三万人に増えたのだそうだ。会社からリストラされて、家族にはそのことを言えず、ハローワークに行っても就職先はなく、もう電車に飛び込むしか自分の道はない、と思って駅のホームに佇《たたず》んでいるおじさんからは、希望が消滅している。そういうおじさんは会社一筋に生きてきたので、他で希望が見つかるかも知れないと考えることができない。希望を見つけることができない人種というのは、そういうおじさんだけなのだろうか。

何だか暗い話になってきた。きっと希望という言葉はネガティブな要素を含んでいるのかも知れない。つまり希望が発生するための必要十分条件があって、その中には暗いネガティブな要素があるはずだ。人生にネガティブな要素が何もないときには、希望は必要ではないのかも知れない。だが、本当にそういう人がこの世の中にいるのだろうか。

＊

『買ってはいけない』という本がミリオンセラーになったことがあるが、なるほどなと思う。身の回りの有害物質や環境問題にみんなが敏感になってそれは時代の進歩で大変に良いことだ、と思っているわけではなくて、単にデフレの時代だという意味だ。デフレというのは基本的には物価が下がることだが、どうして物価が下がるかというと、理由はいろいろある。商品が余っている場合、商品の人気がなくて売れない場合、そして仕事をクビになったり賃金が下がったり欲しいものがなかったりして消費者がものを買わなくなっている場合などだ。

現在のデフレ傾向についてはさまざまな説があるが、バブル崩壊以後の「反省」も確かに影響していると思う。欲望は罪だ、というような考え方だ。ナチュラルな生き方、みたいなわけのわからない価値観も一時流行った。とにかく無駄な消費は人気がない。環境を破壊してまで経済は発展する必要がないという意見が大勢を占めている。

バブル経済は今でも評判が悪く、戦争に次ぐ日本人の汚点となった感がある。わたしもバブルを援護するつもりはないが、人間のエネルギーとして、たとえば敗戦の焼け跡から高度経済成長を通じて復興を果たしたエネルギーと、バブルに踊ったエネルギーは根本的に違うのだろうかという疑問がある。敗戦直後は何もなかった、らしい。学校もなかった。校舎も机も椅子も教科書も鉛筆もノートもなかった、らしい。食べ物もほとんどがなかった、らしい。子どもたちに教科書やノートを買ってやりたい、子どもたちにおいしいものを腹一杯食べさせてやりたいし自分も食べたい、というような「欲望」に支えられて日本人は必死に働き、嫁いだ金を貯金して、経済成長を実現させた。

〝欲望〟を否定してはいけない

その敗戦直後の「欲望」とバブルのときの「欲望」だが、本質的に違うものだろうか。教科書やノートは必需品で、バブルの頃の商品は必需品ではない、という意見もあるだろう。だが、世の中にはロマネコンティやルノワールの絵が「必需品」だという人もいるかも知れない。そこまで話を極端にしなくても、贅沢品《ぜいたくひん》と必需品とのレベルはその人の所得や考え方によって違ってくるだろう。敗戦直後・焼け跡からの復興のエネルギーと、バブル経済のエネルギーがまったく違うもので、前者は正しく、後者が間違いだと決めつけることには無理があるような気がする。以前、エッセイにも書いたことがあるが、戦後の日本がやってきたことがすべて間違いだったかのような安易な反省が目立つ。日本人の、というより人類の「欲望」を否定するような風潮がある。たとえばコレステロールは悪ということになっているが、すべてのコレステロールをからだから取り除いてしまうと、人間は鬱《うつ》状態になって死んでしまうという話を聞いたことがある。

わたしは、すべての欲望を肯定せよと言っているわけではない。欲望を否定する弊害《へいがい》はないのかと問いたいだけだ。また、この国は欧米をモデルとして進歩しようとしてきた。欲望の否定は欧米の知識人のトレンドでもある。「黄昏《たそがれ》」を意識して久しい欧米には欲望は不要なものかも知れない。だが、日本もそうなのだろうか。

わたしは歴史的にいまだ日本人が欲望をポジティブに捉えたことはないのではないかと思っている。特に若い女性には欲望に忠実に生きて欲しいが、自分の欲望を正確に把握するのは簡単ではない。

たとえば、ある秋の夜に耐えがたい寂しさに襲われたとき、それが「生きがい」への餓えなのか、「セックス」への餓えなのか、判断するのはむずかしい。

自分をごまかす恋愛の結末

わたしは今でも学校の夢を見る。成績が急降下して競争から脱落していき教師からも無視されてしまう、というような高校時代に自分がふいに戻ってしまうというような夢で、それは悪夢だ。そういう夢の中ではわたしだけが四十代後半のおじさんでまわりはみんな若い。わたしが小説家であることをみんな知らない。わたしはそういう状況でどうしていいかわからない…。それは実にいやな夢で、目覚めてからしばらくは不機嫌になってしまう。

小説家になる前の自分を思い出すと、本当に無力だった。仕事を得て、自立すると、ほとんどの人間はその無力感を忘れてしまう。だが、無意識の領域にはその記憶が残っていて、夢という形で現れるのだろう。

わたしは自分がサラリーマンや公務員には向かないとわかっていたので、一人でできる職業を選ばなければ生きていけないとずっと思っていた。小学校の頃から協調性がなかった。通信簿で、独創性は○○○だったが、協調性は×××だった。一人でやっていける仕事は限られていて、医者とか弁護士とか勉強が必要なものばかりだった。とりあえず中学校の頃は医者を目指していたが、高校二年になってまったく勉強しなくなったために、国立大学の医学部受験はリアリティを失った。

しようがなくて、美大を受けることにしたが、二年浪人した。その浪人時代の二年間、東京西郊の米軍基地の町に住んだのだが、まさに地獄のような時期だった。ちょっとこういうエッセイには書けないような、とにかく二度と経験したくないひどい生活を送っていた。

しかしその頃も、どうやって生きていけばいいのだろうということは考えていたような気がする。そしてその選択肢の中にサラリーマンはなかったし、会社を興《おこ》すという発想もゼロだった。医者や弁護士にはなれそうもないが、とにかく一人で生きていかなくてはいけないと思っていた。二年遅れで美大に入ったが学校へ行かないので圧倒的に単位が足りない。卒業できる見込みはなかった。これでは画家やデザイナーにもなれないな、と覚悟を決めて、それでしようがなく小説を書き出したのだ。

＊

わたしには人生の目標も夢もなかったが、小さい頃から一つだけ、サラリーマンにはなれそうもない、という自己決定があった。小説家になる前はその前提で生きることだけを考えていたような気がする。前提というか、現代風に言うとそれは一種のストラテジー（※注1）・戦略ということになる。

不安が生みだす〝暇つぶし〟の文化

個人史を語りたいわけではない。現在の日本は混乱しているので、今の若い人たちは戦略を立てるのがむずかしいのではないかと考えているのである。社会が安定しているときには、わたしのようなひねくれ者以外はあまり戦略は必要ではない。社会が要請するような大人になればいいからだ。

それでは今の大人の社会はどういう人間を求めているのだろうか。これが、よくわからない。日本は変わらなければならないという人々がいる。日本的な経営も変わらなければいけないし、学歴ではなく実力で勝負できる人間、個性的な人間、個として自立し独創性のある人間、個人としてリスクをとることのできる人間が求められるのだそうだが、そういった人間になるにはどうすればいいのか、まったくわからない。

わたしが今でも高校時代の夢を見るように、若いときにはどうやって生きていくかということは大変なプレッシャーだ。今の中学生や高校生はそんなこと知ったことではないという感じに見えるが、よほどのバカでない限り、将来のことはプレッシャーになるものだ。しかしあまりにもプレッシャーが強い場合、若者たちは考えていないふりをするようになる。不安があまりに強い場合には、人間は不安の源泉を見ないようにして生き延びようとする。

どうやら日本が大きな変化の過程にあるらしいということは今誰もが感じているだろう。だがどう変化するのかは誰もわかっていないし、どういう風に変われればいいのかも誰も教えてくれない。

日本は確かに没落の危険に直面している。それはなぜかというと、これまで繁栄してきたからだ。繁栄しない国には没落もないし、一度繁栄した国には必ず次に没落の可能性が起こる。世界史を見ればわかるが、永遠に繁栄した国はない。

繁栄から没落へと向かう国では価値観が混乱する。今まで良いことだとされてきたことが、間違ったこととされる。たとえば終身雇用は間違っていて、リストラするのが良い経営だということになる。そういった国では、若い人たちは混乱に巻き込まれて、どう生きればいいのかわからなくなる。将来が非常に不安なので、ものごとを考えるのがいやになってしまう。考えてもわからないし、誰もヒントをくれないから、考えることをあきらめてしまうのだ。

そういう没落の可能性と混乱が支配する社会では、どう生きればいいのかということを考えなくても済むような文化が準備される。その文化は受け手の思考を奪うようなものでなくてはいけない。それはたとえばダイエットであり、テステであり、ブランドであり、ファッションであり、テレビのバラエティ番組であり、コミックであり、テレビゲームであり、すぐに消えてなくなるポップスであり、カラオケのようなものだ。

そういった浅薄な文化に対し、どうして今の若者たちはこれほどバカになってしまったのかと大人たちは嘆く。あるいはそれこそが新しい消費文化なのだと持ち上げる大人もいる。嘆いても持ち上げてもしようがない。繁栄から没落に向かう国・共同体では必ずそういった文化が流行る。将来のビジョンが明確ではない高度消費社会では、考えなくても済むことがもてはやされる。それは極めて普通なのだ。今の日本で起こっていることは異常でもなんでもない。歴史的にさまざまな国で繰り返されてきたことだ。

だが、そういう社会の中でも、どう生きればいいのかを本当はみんなどこかで考えている。考えるから不安になり、その不安を妄れるために暇つぶしの文化が流行るわけで、誰もがただ浮かれてはしゃいでいるわけではない。その証拠に、至るところで問題が噴出する。新興宗教が生まれ、教育は荒廃し、家族や地域の共同体の信頼関係が揺らぎ、援助交際やストーカーやいじめといった問題が社会にあふれる。

問題はそこら中で山積みになっていて、簡単には解決しないとみんなどこかでわかっている。そして考えなくても済む暇つぶしの文化がさらに流行ることになる。

恋愛に残り残された人々

そういう社会では、暇つぶしの文化を批判してもしようがない。一部には、それでもどう生きればいいかを考えている人々がいて、彼らが将来の経済を牽引《けんいん》していく。そういう人々がどれだけいるかで、日本の将来が決まる。少なければ、日本はこれまでの歴史上のほとんどの繁栄国家と同じように没落の道を転げ落ちるだろう。圧倒的に少なければ、彼らは日本という国を捨てて、外国に移り住むかも知れない。

一部の人間が経済を牽引するといっても、もうこれまでのような一億総中流という時代は終わる。経済を牽引する一部の人間が富に集中するだろう。

暇つぶしの文化にどっぷり浸かってきた人間たちはいずれ社会的な敗者となり、何かにだまされたという怒りを持つようになる。その怒りはどこにも行き場がなく、ますます新興宗教や犯罪や反社会的な政治活動が盛んになる。ナショナリズムが台頭し、場合によってはクーデターや内乱が起こって、没落は完成する。

そういった没落の可能性のある時代には恋愛も混乱する。男女とも不安を抱えていて、その不安から目をそむけているために、相手のことを理解するのがむずかしくなる。あるいは、自分が抱える不安を恋愛の相手に全部預けてしまおうという傾向も増す。ドメスティックバイオレンス（※注2）はこれからも増え続けるだろうし、さまざまなストレスから幼児虐待も増える。

恋愛で幸福になれるのは一部の特権階級だけになり、それでも恋愛という概念は繁栄の名残として残るから、取り残された人たちはさらに自暴自棄になる。

それではどうすればいいのか？　もちろん回答はない。不安を受け入れるのか、あるいは暇つぶしの文化に染まって無理に忘れようとするのか、選択肢はその二つ以外にないからだ。

※注1　ストラテジー…目的達成のための策

※注2　ドメスティックバイオレンス…配偶者や恋人からうける暴力

恋愛に我慢や忍耐は似合わない

最近、頑張って、という言葉に違和感を覚えるようになった。広く使われている言葉だが、たとえば鬱《うつ》病の人には使ってはいけないとされている。鬱病質の人は責任感が強く、我慢強くて、まじめだ。ひどいストレスやプレッシャーの下で、頑張りすぎるから神経とからだのバランスを崩してしまう。

頑張って、という言葉は英語にもフランス語にもスペイン語にも翻訳できないのだと知り合いの通訳が言っていた。頑張ってという励ましの言葉はさまざまな状況で使うことができる。親類が死を賭けた手術に向かうとき、姪っ子が入試に行くとき、残業中の同僚への軽い挨拶まで、用途は多い。

用途が多いということは意味が限定されていないということで、曖昧だということでもある。きっと「頑張って」「頑張る」という言葉そのものが悪いわけではないと思う。ただ、どうしようもなく曖昧だから、具体的に何をどうすればいいのかが不明になるという欠点がある。

＊

一昔前そんなに頑張らなくてもいいじゃないの、缶コーヒーでも飲んで一休みしたら、みたいな飯島直子の缶コーヒーのCFがあった。あのCFは良くできていたと思う。あのCFを見て、そうだ、無理しないでとりあえず缶コーヒーでも飲んでゆっくりしよう、と自殺から逃れることができたサラリーマンも多かったのではないだろうか。

「頑張って」という励ましの言葉には、どこか「無理をしろ」「耐えろ」「我慢しろ」というニュアンスがある。それが鬱病の患者に悪影響を与える。鬱病は多大な疲労が心身を冒し、神経とからだのバランスが崩れる病気だ。からだも神経も休息を要求している。だから「頑張って」はいけないのだ。

大きなスポーツイベントで優勝した外国人選手は、インタビューに答えて、わたしは充分準備ができていたから勝てると信じていた、というようなことをよく言う。日本の高校野球などでは、この大会に備えて必死に頑張ってきた甲斐がありました、などというコメントがよく使われる。つまり、日本では「充分な準備」というのは「頑張る」の中に最初から含まれている。

誰か友人に「頑張ってね」と言いそうになったとき、ちょっとそれを止めてみて、自分は具体的には何を望んでいるのかを考えてみたらどうだろうか。頑張ってね、と言うとき、友人は何をしようとしているのだろうか？　もし入社試験を受けようとしているのだったら、あなたは「頑張って」と声をかけることで、友人に何を望むのだろうか？

「うまく入社できたらいいね」

「落ち着いて試験を受けてね」

「後悔しないように実力を全部出してね」

「リラックスしてね」

「試験に落ちたらあんたとはもう別れるよ」

「どんな手段を使ってもいいから受かれよ」

というように、「頑張って」にはほとんど無限の意味がある。それだけ豊かな意味を含んだ言葉だからどんどん使えばいいじゃないかという人もいるだろう。事実、今までは本当に便利な言葉だったのだ。

「頑張れ」ではどうにもならない時代

これまでの社会では、頑張りさえすればよかった。あなたが頑張って、それを誰かが見てくれれば、それですべてが済んだ。あなたが頑張ることそのものを評価する共同体がどこかにあったのだ。あの子は頑張り屋だから、という評価は学校でも会社でも有利に働いた。頑張るという言葉には、「みんなのために」という暗黙の了解もあった。

がんばれニッポン、というスローガンは、選手にどういう期待をしているのかわからない。メダルを取れ、と言っているのか、ベストを尽くせ、と言っているのか、競技を楽しんで欲しい、と言っているのかわからない。だが「みんなのために」、つまり「わたしたちのために」一体感を盛り上げるために必死になってくれ、というようなニュアンスを感じる。それは選手たちに重いプレッシャーになってのしかかることだろう。

じゃあ、今の時代は頑張らなくてもいいのか、というとそうではない。具体的に、どういう訓練をしてどういう技術を持ち、どういう能力があって、それをやり続ける集中力があるか、というようなことが問われるようになってしまった。

「取り柄は、頑張り屋だということです」

そういうことを入社試験で言っても、残念ながら評価は低い。

＊

頑張って、という言葉が使えない場合もある。それは、友人が決断を迫られているとき、変化を受け入れようとしているとき、などだ。会社を辞めて独立しようかと考えている友人には、頑張ってとは言えない。転職や転業を考えている友人にも、頑張って、は使えない。

頑張ってという言葉を使えない機会が増えている。頑張るだけではどうしようもないことが増えてしまった。

高校や大学を卒業しても定職に就かない若い人が増えているようだ。彼らは、好きなことが見つかるまではアルバイトをする。そういう人たちは、二つの点で誤解をしている。一つは、好きなことを見つけるのは大してむずかしいことではないと思っている点で、二つ目は、好きなことをやる場合にはたいてい訓練された高度な技術が必要になるということだ。

ほとんどの子供は、好きなことは大学に入ってからやればいい、と親や教師に言われて育つ。それまでは我慢して勉強しろ、というわけだ。好きなことというのは、これまではほとんど趣味の世界を指していた。仕事は商社員で好きなことは旅行です、みたいな感じだ。だから、好きなことを見つけるのは簡単だという刷り込みがある。

好きなことを探すこと、と「頑張って」は似合わない。

「おれは今、好きなことを探しているんだ」

「そうか、頑張れよ」

というような会話の中で、頑張れというのはどういうことを指しているのだろう？　頑張れと言われた方は、いったい何をどうすればいいのだろう？

確かめ合うちょっとした努力

「おれたちの関係だが、考え直すときに来ているんじゃないかと思うんだ」

彼氏からそう言われたときに、頑張って、と言ったら、あなたは気が狂ったと思われるだろう。つまり、人生の転機を迎えている人には、頑張ってとは言えない。

日本全体はどうだろうか。何かが変わろうとしていると漠然と感じている人が多いはずだ。どういう風に変わるのかわからずに、不安に思っている人も多いだろう。

そういうときには、頑張ってという言葉が無意味になる。無意味になるのだが、相変わらず大多数の人が、一日に何回も、頑張ってと誰かに向かって言っている。

恋愛では、頑張るというのはどういうことを意味しているのだろうか。

「わたしは今、頑張って恋愛しています」

という人は、どういう風に頑張っているのだろうか。毎朝、マラソンして彼氏に会いに行っているのだろうか。あるいは一日十六時間の内職をして彼氏に貢いでいるのだろうか。それとも彼氏の暴力に耐えながら毎日セックスを受け入れているのだろうか。

「頑張って恋愛をしよう」

まるで徹底的にもてない人が集まった労働組合のスローガンのようだ。恋愛ほど頑張るという言葉が不釣り合いな行為はない。それは、恋愛には、我慢とか忍耐とか無理が似合わないからだろう。恋愛というのは、自分が相手を必要としていて、その相手も自分を必要としているということを、強制することも依存することもなく、確かめ合うものだ。だから頑張る必要はない。二人が共有する時間を充実したものにするために、ちょっとした努力をすればいいだけだ。

わたしは頑張るという言葉が早く死語になればいいと思っているのだが、あまりにも便利なのでそう簡単には消えないだろう。本当に不思議な言葉だと思う。

変わりはじめた「いい女」と「普通の女」

ミレニアムということでは、意外にも日本はまったく盛り上がらなかった。例によって、テレビでも街頭でもバカ騒ぎをするのかと思っていたのだが、静かだった。静かというか、騒ぐだけの元気がなかったのだろう。

お金がないわけではないのに、誰もお金を使おうとしない。この十年でもっとも売れた商品は間違いなく携帯電話だろう。ある統計によると、携帯電話の普及率は日本が世界最高だそうだ。携帯に比べるとインターネットの普及率は非常に低い。

日本人はインターネットよりも携帯電話のほうが好きだということになる。携帯電話は仲間内のコミュニケーションに便利な通信ツールだ。携帯に登録してある友人や知人がその人の「コミュニケーション・テリトリー」だと言えるかも知れない。インターネットは少し違う。知らない人や団体や企業や官庁のホームページにアクセスして資料をダウンロードしたり、商品を請求したり、電子メールを使って仕事をしたりする。基本的に仲間内の通信ツールではない。日本人は仲間内でコミュニケーションするほうが好きなのかも知れない。

しかし考えてみると、仲間内以外のコミュニケーションが好きという人はあまりいないだろう。知らない人とのコミュニケーションは疲れるからだ。仲間ではない人と外で仕事をして、家に帰ってゆっくりするというのがほとんどの人の仕事のパターンではないだろうか。

わたしも知らない人と対談したり、インタビューを受けたり、仕事の打ち合わせをするのは疲れる。でも仕事だからしようがないと思うし、仲間内だけでコミュニケーションをとっているとなぜか自分が澱《よど》んでいくような感じになってしまう。

仕事に必要というだけではなく、未知の人とのコミュニケーションというのは人間にとって一般的に不可欠のものではないだろうか。

＊

前に「頑張る」という言葉が曖昧すぎるということを書いたが、そのせいで自分で頑張るという言葉を使うのがいやになって、ひどく不便になった。

他にいちいち言葉を探さなくてはいけない。そういう言葉は「頑張る」だけではないことに最近気づいた。

魅力的な〝普通〟の女性

ある女性と、その女性の友人と一緒に三人で食事をする、という機会が三度続いてあった。その女性というのは同じ人で、友人は三人とも違う人、ということだが、全員二十代後半から三十代前半で仕事を持っている。その女性の友人三人はタイプがそれぞれ違っていたが、共通してとても「いい人」だと思った。だが具体的にほめる言葉がない、という事態にわたしは遭遇したのだった。

「ねえ、彼女たちどうだった？」

と聞かれて、みんないい子だね、と返事しようとするのだが、いい子という概念が一つではないことに気づいた。

「いい人」という場合も同じだが、ただのいい人、という風に修飾されると誉め言葉ではなくなってしまう。

たとえば、純粋な人、というとどういうイメージを持つだろうか。純な人、素朴《そぼく》な人、心がきれいな人、まっすぐな人、汚れていない人、どうもそれらには「バカ」というニュアンスが含まれているような気がする。

「あなたって本当に心がきれいな人ね」

そう言われたりすると、ひょっとしたらバカにされているのではないかと考えてしまうのではないだろうか。英語でも、イノセントというと、純粋とか純真無垢《じゅんしんむく》とかの他に、おめでたいとか無知という意味もある。

考えてみれば大人が完全に「純粋」であるわけがない。嘘もついているし、いやなことを一切したことがないという人はいないし、人間のいやな部分や弱い部分、醜い部分を見てきているのが大人だ。挫折を含めて充分な経験をしてきて、傷も負って、他人から裏切られたこともあって、自分の才能に絶望したこともあって、それでも将来的にポジティブに努力して希望を失わずに生きていこうとしている人を、どう形容すればいいのだろうか。

「前向きに生きている人」
「人生をポジティブに考えている人」
「心がねじ曲がっていない人」
「明るさを失っていない人」
「自分の足元を見つめている人」
「チャレンジ精神を忘れていない人」
「夢と希望を持っている人」

という風に、ポジティブに評価しようとすると、なぜか必ず臭くなってしまうのはどうしてなのだろうか。

「信頼できそうな人だね」

初対面の人にはそういう風には言えない。一回しか会っていないのに、信頼できるかどうかわからないからだ。信頼できるかどうかはわからないし、キャラクターも、やっている仕事も違うけど、打算的なところがなく、相手に媚《こ》びることもなく、見栄を張ることもなく、無理もせず、現在がバラ色というわけでもないのに暗いところがなく、将来がバラ色というわけでもないのに絶望したり世をすねたりもせず、たとえば資格を取るとか、語学をやるとか、将来はイタリアに住んでみたいとかアジアを横断してみたいとか具体的な夢があって、淡々と人生を歩んでいる二十代後半から三十代前半の女性を形容する言葉がないというのは不思議なことだ。

＊

普通、という言葉も曖昧だ。

「あの子は普通だね」

と言うと、ほとんど誉めていない。どこにでもいるような子、という意味になってしまう。

「あの子は普通じゃないよ」

と言うと、危ないという意味と、すごいという意味と二つある。

「わたしは普通に生きたいんです」

と誰かが言ったとき、その人がどういう人生を目指しているのか、わかりにくい。

「彼ってどんな人なの？」

「普通のサラリーマンです」

という応答でも、どんなサラリーマンかわからなくなった。昔のニュアンスの「普通のサラリーマン」は、今、中央線のホームから飛び降りたり、あるいはストックオプションで五億の年収があったり、いろいろに分かれてしまった。

だが、確かに魅力的な女性はいる。外資系の銀行で英語とコンピュータを駆使《くし》してデリバティブ（※注）取引をしているというわけでもなく、ブランドものに身を包んでいるわけでもなく、特別な才能や技術があるわけでもなく、とんでもない美人というわけでもなく、欧米の大学でMBAを取得しているわけでもなく、それでも「魅力的だ」と思う女性は今の日本にかなりの数が残っていると思うのだが、彼女たちを形容する言葉がない。

あ、今ひとつ思いついた。

「あなたは普通だけどすばらしい」

というのはどうだろうか。でもやはり曖昧だ。積極的に、ポジティブに生きていて、かつ必死で競争したりせず、他人を押しのけたりもせず、会社で認められるために「頑張ってなんかいない」魅力的な女性をどういう風に形容すればいいのだろうか。

〝いい女〟の形が変わってきた

恐らく言葉の概念が変わりつつあるのだろう。しかも、「いい」とか、「普通」とか、基本的な言葉の概念が変化している。

昔は、自分の気持ちをじっと押し殺して港の酒場で一人で男を待つような演歌的な女が主流だった時代があったのだ。自分の欲望や欲求を我慢して、夫や子供のために家庭を守る女が「いい女」だったり「普通の女」だったりした時代はつい最近まで続いていたし、田舎に行けばそういう概念はまだ残っているかも知れない。

「いい女」とか「普通の女」の概念が変化しているのは悪いことではない。社会が複雑になり成熟したということだし、豊かになったということでもある。

純粋で、さまざまな経験があり、傷も負ったことがあって、基本的にはポジティブで、それでも他人を押しのけたり差別したり過度に競争的になったりしない「普通の女」というのは、たぶん日本の歴史上これまでいなかったのだ。だから、これまでの言葉で形容できないのだと思う。

※注　デリバティブ…株や債券から派生した複合金融商品

普通の結婚を望む、その〝普通〟とは

家族が主要なモチーフとなる書き下ろし小説を書いた。このエッセイで書いているようなことを物語の中に織り込むことができたと思う。それはコミュニケーションの問題で、コミュニケーションに関するわたしたちの基本的な考え方の枠組みの変換の可能性を探るものだ。と書くと何かむずかしい感じがするが、要は個人と社会の関わり方のことだ。

わたしの物語の家族は、長男が引きこもりをしている。引きこもりや援助交際や不登校、それに幼児虐待やドメスティックバイオレンスといった社会的な問題は、これまで「愛情不足」という側面から語られることが多かった。つまり子どもが不登校になったり、援助交際をしたり、引きこもりになるのは、親の誠実さや愛情が足りないのだ、という風に語られることが多かったように思う。本当にそうだろうか。

昨年、保護観察官と話す機会があって、最近の少年犯罪に何か変化があるのかと質問した。少年犯罪の六割は親の愛情、もしくは社会的庇護《ひご》の欠如によって生じるらしい。つまり親の教育的な関心が低く、劣悪な環境に置かれることで非行に走るという、言ってみれば昔ながらの少年犯罪だ。そういう少年少女は比較的更生させやすいのだそうだ。つまり愛に飢えているし、更生したいというモチベーションが高いので、誠意と愛情を持って接すれば社会復帰が早いのだという。

残りの約四割は、昔の貧しかった日本には見られなかったタイプの少年犯罪だそうだ。つまり中流以上の家庭で親の教育への関心も高いという環境で、少年犯罪が発生する。昔だったら考えられないような高学歴・高収入の家庭の子どもが非行に走るわけだ。

＊

小説を書く際に、引きこもりのカウンセリングを行っている人たちにも取材をして、興味深い話を聞いた。引きこもりの子どもを持つ親たちに、「子どもさんにどういう風に生きて欲しいんですか」と聞くと、多くは望まない、と答えるらしい。

「普通でいいんです。普通の会社に、普通に勤めてくれればそれでいいんです」

という答えが一般的なのだそうだ。素朴な疑問だが、普通の会社というのはどういう会社なのだろうか。読者のみなさんもちょっと考えてください。「普通の会社に普通に勤める」というのは、どういう会社にどういう雇用条件で勤めることを言うのだろうか。ソニーやトヨタは普通の会社だろうか。また派遣社員は「普通に」働いている人だろうか。

きっと誰も答えられないだろう。普通の会社に普通に勤めること、つまり日本人としての人生のスタンダードが定義できなくなっているのだ。ぶらぶらしていないで普通に働け、と親が言っても、普通に働くという言葉の定義がない場合には子どもには意味が通じない。普通という、もっとも普通な言葉の定義が揺らいでいる。

「ねえ彼氏はどんな人なの?」

「うーん、普通の人」

というような会話がなされるとき、わたしたちはどういう人を想像しているのだろうか。「普通」と言われる彼氏はどういう会社に勤めているのだろうか。たとえば、インターネットのベンチャー企業に勤めている人は普通だろうか。みずほフィナンシャルグループに勤めている男は普通だろうか。フリーターは普通だろうか。

問題は、そういう風に「普通」の概念が揺らいでいるときに、わたしたちは今でも平気で「普通」という言葉を使っているということだ。

大人たち、つまりわたしたちは「普通に働く」という言葉を何となくわかった気になって使っている。そして子どもたちに「普通に働いてくれればそれでいい」みたいなことを言う。だが子どもたちは「普通に働く」と言われても何のことかわからない。こういう状況でコミュニケーションが可能だろうか。

一対一になると話せない人たち

コミュニケーションというのは何かを伝え合うことだが、わたしはこの日本社会には二種類のコミュニケーションがあるような気がする。わたしの定宿《じょうやど》である西新宿の高層ホテルから周囲のオフィスビルが見えるが、そこではよく会議やラジオ体操が行われている。社員が机の傍《そば》に立って、上司の訓話を聞くという光景もよく見る。

幼稚園くらいから老人まで、わたしたちは集団の中に入ることをほとんど義務づけられている。幼児を連れた母親が集まる公園から、学校や塾や職場、サラリーマンや学生が集まる居酒屋やカラオケ、そして老人たちがゲートボールをやるために集まる空き地まで、たくさんの種類の「集団」がある。日本社会でコミュニケーションと言えば、まずこの「集団」内でいかにうまくやっていくかということを指す。だが、コミュニケーションというのは集団内でいかに他人とうまくやっていくかだけではない。

恋人や配偶者、子どもや親や友人とのパーソナルなコミュニケーションというものがある。そこでは基本的に一対一で話をするわけだが、簡単ではない。居酒屋では元気が良くてみんなを笑わせるくせに、一対一になるとまったくしゃべれないという人もいる。また集団内の序列や人間関係をパーソナルなコミュニケーションに持ち込んでしまう人も多い。

日本の典型的な父親像は、会社の人間関係を家庭に持ち込むことが多かった。つまり会社で社長から庇護されているように、家族を庇護していたのだ。終身雇用は幻想になりつつあるが、以前は就職は一生を決定するものだった。普通の会社に普通に勤めさえすれば、とりあえず安泰は手に入った。それほど優秀な社員ではなくても会社に忠誠を尽くすことで会社から庇護されてきたのだ。

父親が不在のホームドラマ

だからそういうお父さんは、家では、妻や子どもたちが会社における社員のような存在でいるべきだと思っている。会社に面倒を見てもらっている自分と同じように、家族はお父さんに面倒を見てもらっているのだから、忠誠を尽くすのが当たり前だと思っているお父さんが多い。

企業は銀行に面倒を見てもらい、銀行は大蔵省（当時）などの官庁に面倒を見てもらっていた。人生のレースは、普通の会社に入れるかどうかでほぼ決まった。普通の会社に入れればそれだけで安泰が保証され、それほど目立った仕事をしなくても確実に収入は増えていった。そういう社会では、普通の会社に入るための競争が極端に激しくなり、入社が済めば基本的に競争はない。出世競争はあるが、昇進してもそれほど給料に差はない。

普通の会社に就職すること、それが日本社会の人生のスタンダードだった。国民的な漫画だった『サザエさん』も『ドラえもん』もお父さんは会社員だが仕事の内容も職種も明らかにされない。会社員、というだけで日本人ほとんど全員がどういう人生かを理解できていたのだ。かつては、普通の会社に普通に勤める、というはっきりした共通理解があった。

それが揺らぎ始め、崩れ始めているということは社会的に大変なことだと思う。人生のスタンダードというものが日本社会から消えようとしているのだ。近代化を終えた国家では当然のことなのかも知れないが、問題はそのことが社会的に自覚されていないということだろう。すでに人生のスタンダードが揺らぎ、消えようとしているのに、そのことをメディアを含め多くの人が理解していない。

社会が「標準モデル」のないことの重大さを理解していない。たとえば民放の連ドラは社会状況を反映しているとよく言われる。昔のホームドラマでは人生のスタンダードが描かれた。しかしこの二十年ほどは「普通の会社で普通に働く」お父さんのいる家庭は連ドラにほとんど登場しない。

スタンダードが失われた社会は混乱して当然だが、果たして解決策はあるのだろうか。もう一度スタンダードを設定することはできるのだろうか。典型的で一般的な日本人のスタンダードをどういう風に設定すればいいのだろう。

結論から言えば、人生の標準を社会的に設定するのは無理だろう。この先、大不況や大恐慌、それに続く内乱や戦争でもなければ日本は求心力を取り戻すことができないと思うし、無理をして求心力を取り戻す必要はない。つまり「みんな一緒」になる必要はなく、当然のことながらスタンダードも必要がないということになる。

「普通」はもうないのだ。「普通」がないのだから、「普通の恋愛」や「普通の結婚」があるわけがない。普通に結婚したい、という女性は少なくないが、彼女たちはいったいどういうイメージで「普通」を考えているのだろうか。

一人で生きられる時代に二人で暮らす理由

最近、周囲の年下の友人が何人か結婚することになった。どういうわけか、単純におめでとうと言えない。周囲には、恋人と何年も付き合っているけど結婚しないという友人もいる。そっちのほうが理解できるというか、自然な感じがするのはなぜだろうか。

もちろん周囲の年下の友人たちといっても一括《ひとくく》りにはできない。仕事も違うし、年収も違う。おそらく結婚を決めた要因も微妙に違うだろう。どうして結婚に対し単純におめでとうと言えないのだろうか。

わたし個人のことを言うと、結婚したことを後悔しているわけではないが、結婚生活は決して単純に楽しいことばかりではなかった。共に生きていくというのは、簡単ではない。誤解されると困るのだが、苦しいというわけでも、辛いというわけでも、我慢が必要だというわけでもない。共に生きていくためにはお互いの信頼を得る必要があって、それは簡単ではないということだ。

日本では実に長い間、安心と安全を得るためには、価値があるとされる集団に受け入れられることが必要だった。東大に入りさえすれば、大蔵省（当時）に入りさえすれば、名門の大企業に就職できさえすれば、ほとんど一生安心できて、安全が与えられた。そういう価値観は結婚にも影響している。つまり、結婚すると男も女も安心してしまう、という傾向があった。

男は家庭に無頓着な「会社人間」「仕事人間」になり、女は家と公園と近所のマーケットを往復するだけの「主婦」になりがちだった。要するに結婚は終着駅だったのだ。また、一昔前は、離婚に多大なコストがかかったので、我慢する女が多かった。離婚して、一人で生きていける女の数は少なかった。社会的に女性の職業が限られていたし、雇用機会も均等ではなかった。

さらに離婚する女の絶対数が少なかったので、出戻りなどと呼ばれて、世間体が悪かった。出戻りからバツイチと呼称が変わることによって離婚ははるかに容易になったと思う。離婚が容易になると、結婚生活にそれなりの緊張が入り込むことになる。結婚していないと世間体が悪い、というような曖昧な利益では結婚を維持することが不可能になっていて、そのことは悪いことではない。

おそらく昔は、結婚においてもっとも重要なことは我慢だったかも知れない。今はどうだろうか。今、結婚において重要なのは、一人でも充分に充実して生きていくことができるが、二人だとさらに充実するし、危機にも有効に対処できる、というようなことだと思うが、非常にわかりづらい。

〝結婚〟の最大のメリットとは

世の中は少しずつ変化していて、その変化の内容も少しずつアナウンスされつつある。良いと言われている大学に入りさえすれば安心、良いと言われている大企業に入りさえすれば安心、良いと言われている企業に勤める男と結婚できればそれで安心、というような構図はしだいに過去のものになりつつある。

国が銀行や企業を庇護《ひご》し、企業が家庭を庇護し、結婚という制度が女を庇護する、という社会の枠組みが変わろうとしている。実はすでに相当な部分で変わってしまっているのだが、そのことを伝える文脈がないので、アナウンスがされていないというだけだ。

ところで、変化には常に痛みが伴う。痛みを不安と言い換えてもいい。企業が個人を庇護しない社会、つまり企業に入ってもその内部で競争があり、格差が生まれる社会をほとんどの日本人は経験していない。結婚後に、努力不足だという理由で離婚されてしまうような社会も経験していない。

話題が少し逸《そ》れるが、わたしは、大学に合格した親戚の子どもや友人の子どもに、おめでとうと言わない。大学を卒業したり、就職が決まった人にもおめでとうとは言わない。ただし、誕生日を迎えた人とか、子どもが生まれる人には、ちゃんとおめでとうと言う。誕生日を迎えるというのは、前の誕生日から一年間死ななかった、ということだ。何とかサバイバルできて生き延びた、という意味でおめでたいと思う。同じように、赤ん坊が生まれる人にもおめでとうと言うが、それは、望んでも生まれない人が多いし、新しい生命が誕生するのはとにかくおめでたいことだからだ。

ついでに言えば、お正月にも、ちゃんとおめでとうと言う。理由は誕生日と同じだ。一年間、生きてこれた、何とかサバイバルして新しい年を迎えることができた、ということで無条件におめでたいということになる。

だが、入学や卒業や就職についてはもちろん、結婚に際しても、おめでとうとは言えない。絶対に言わないぞと意地になっているわけではなくて、言えないのだ。大学に入ったからといって、また卒業したからといって、就職できたからといって、安心できるわけではない。結婚したからといって幸福が保証されるわけではない。むしろ、入学してから、卒業してから、就職してから、結婚してからが大変なのだ。

結婚を予定している若い友人たちに単純におめでとうと言えないのは、それが単純に幸福を約束するものではないから、というのがもっとも大きな理由なのだろう。それと、経済力の問題もある。

昔は、一家を養う、という言葉があった。家族を食わしていく、という言い方もあった。要するに結婚をする男には金が必要だったわけだ。今でも金が必要なことに変わりはないが、今は女のほうも働くことができる。何かさっきから当たり前のことばかり書いているような気がするが、要するに二人で家計を維持することが可能になってきたわけだ。

二人の収入を足せば、一人で暮らすより良い暮らしができる、というのは結婚のメリットかも知れない。しかし、それだけなら同棲すれば済む。わたし個人の考えだが、好きな異性と一緒に住むメリットの最大のものは、たとえば風邪を引いて高熱を発したときなどにリンゴのすり下ろしを食べさせてくれる、というようなことに尽きるのではないかと思う。弱っているときに、肉体的に、精神的に、助けてもらえるということだ。

ひょっとしたら将来的に、一人暮らしの人が高熱を発したときにリンゴのすり下ろしを作って看病してくれるというビジネスが誕生するかも知れない。また、弱っているときに、元気を出して、と慰めてくれるビジネスはおもに男性相手に現在も風俗や水商売が担当している。女性相手に、セラピーのようなものも含め、寂しさを癒《いや》してくれたり、相談に乗ってくれたり、弱っているときに励ましてくれたりする、ハイレベルのホストクラブのようなビジネスを興せば案外成功するかも知れない。

つまり、これからは、昔は結婚に求められていたことがビジネスとして成立するかも知れないということだ。現在ネットで流行しているらしい出会い系のサイトはもっと発展するかも知れない。病気の看病のための一ケ月だけの疑似夫婦、地方赴任になったときに、生活をやりやすくするための一年間だけの疑似夫婦サービスのようなものも現れるかもしれない。結婚が提供していたサービスを、市場が代替《だいたい》することになるわけだ。

ひと頃大ブームになって、今はすっかり定着してしまった女子高生の援助交際も、寂しい青年やおじさんの需要に女子高生が応じて市場が形成されてしまったわけで、介護サービスのように、今後それらも合法的なサービスに変化する可能性もある。

結婚したくない女が増えていく

病気のときの看病も、落ち込んでいるときの慰めも、傷ついたときの癒しも、すべて代金さえ払えばサービスを受けられるような時代が来たとき、結婚という制度は大きな変化を迫られるだろう。男も女も、もし結婚を望むなら、そういうビジネスと競争して相手を探さなくてはならない。

現代の結婚を巡る状況を一言で言い表すなら、結婚できない男が増えていて、結婚したくない女が増えている、ということになるのかも知れない。もちろん、一度は結婚してみたいという女がまだ大勢いるというのは確かなようだ。それは、結婚ってどんなものだろうというような一種の好奇心と、親が安心するからというような外部要因と、老後が不安だから、というような不安からだろうと思う。外部に委託することでそのすべてが解決するようになると、結婚という制度はますます必要性が乏しくなってくるだろう。

別に結婚なんかしたくない、という人のほうがどうしても自然な感じがするのだが、実際のところ、若い女性たちはどう考えているのだろうか。

個性を失った男たちのゆくえ

最近、経済や教育の問題について取材されることが多い。ＪＭＭというメールマガジンを発行しているし、集団不登校の中学生の小説を書いたからかも知れない。社会派の作家になったね、みたいなことを言われることもある。社会派の作家とはいったいどういう意味なのだろうか。男女の恋愛だって社会内の出来事には変わりはないのに、わざわざ社会派という言葉があるのがわたしには理解できない。

先日、ある大企業のおじさんたちと夕食をともにする機会があった。ちょっとした親睦の席だったのだが、わたしはサラリーマンの経験がまったくないし、企業に勤めるおじさんたちとは仕事上の付き合いで食事をすることがほとんどない。ビジネス上の会席はよくあるが、それは一般企業のおじさん相手ではなく、おもに出版社や映画・テレビ関係、代理店などいわゆる「業界」と言われる人々だ。

一般企業のおじさんたちとのディナーは大変だった。失礼・非礼な言動があったとか、それに対してわたしが立腹したとかそういうことではない。わたしに対しておじさんたちは基本的に敬意を払ってくれた。それにもちろんわたしも年齢的には完全なおじさんだ。大企業のおじさんたちが年寄り臭かったわけでもない。

しかし、彼らは、まず話がつまらなかった。「村上さん、最近面白いことがありましてね」という枕詞《まくらことば》で始まる話はまったく面白くなかった。彼らの話があまりに退屈なので、わたしはそれを聞くことに耐えられなくて、自分で一方的に話題をリードした。小説の話やサッカーやキューバの話をした。そして非常に疲れた。

また、彼らは、会社内の「仲間意識」をその夕食の席全体に拡大した。つまり、そのディナーの席全体は雰囲気は会社の延長となった。上司が部下に威張るとかそういう単純なことではない。夕食の席全体に、距離感がなくなり参加者の関係が平板になってしまうのだ。そこにいる全員が仲間であるかのような雰囲気になってしまった。

どうすればこういう人間たちが育つのだろうと思った。わたしのまわりにそういう人間はいない。おじさんたちは、知的レベルが低いとか、常識が欠けているというわけではなかった。大企業の役員や社員だし、みんな非常に偏差値の高い大学を卒業していた。だが、ディナーが一時間半ほど過ぎた頃には、わたしはおじさんたちの顔が全員同じに見えてきた。誰が誰なのか、名前も忘れていた。ただし、おじさん間の序列だけは覚えていた。誰がもっとも偉いのか、二番目は誰か、というようなことだ。

リスクを知らない男の勘違い

ＪＭＭというメールマガジンで「男性のライフスタイル」というコーナーを作り、男性からの投稿原稿を募集している。要するに、男性の個人史・自分史を書いて送って下さいという企画だ。女性のライフスタイルについての考察は雑誌やテレビなどでさんざんやられているが男性については非常に少ない。そこで男性のライフスタイルについて問題点を考えてみようと思ったのだ。

すでにたくさんの原稿がメールで送られてきた。だが、大半の原稿は個人史ではなく、一般的な男性論になっていた。つまり、男性はこれまで〜であったが、時代状況も変わっているのでこれからは〜であるように生きなければいけないのではないか、という風なものが多かった。個人史を書いてきた男性ももちろんいた。中には感動的な個人史が何編かあったが、それらはおもに転職や病気や離婚や失職について書かれたものだった。

わたしは、日本社会では、会社から離脱しない限り、個人としての自分に出会うことがないのではないかと思った。個人としての自分に出会うとはどういうことだろうか。それはまず、自分がいったいどういう人間なのかを、仕事や人間関係を通じて知ることではないかと思う。自分は何に喜びを感じ、何を嫌悪する人間なのか。自分は、何がもっともうれしく、何から充実感を得られるのか。自分にとって絶対に許せないことは何か。自分がもっとも恐れていることは何か。

そういったことが、個人としての自分に出会うということだと思う。しかし、会社で上司から気に入られ、ミスをせずに出世することだけが目的で生きてきたおじさんはどうだろうか。

わたしが夕食をともにしたサラリーマンたちは「ひょっとしたら他人は、自分の話を面白いと思わないかも知れない」とか「ひょっとしたら他人と自分は好みが違うかも知れない」とか「ひょっとしたら会社の中と、外の世界では価値基準が違うのかも知れない」という風に思ったことがないのではないかとわたしは思った。

＊

「同棲はダメだ。一緒に住むなら結婚しろ」と娘に言う父親はいまだに多いらしい。どうして結婚すれば安心なのか、わたしにはわからない。日本の企業はこれまで「庇護《ひご》社会」と呼ばれるシステムの中にあった。それは、社員を企業が庇護し、企業を銀行が庇護し、銀行を大蔵省（当時）がそれぞれ庇護するというシステムで、一流と言われている会社に就職することがもっとも安定的だったわけだ。一流と言われている会社に入りさえすれば、あとは基本的に庇護され、定年まで勤めればいい、という考え方が支配的だった。

十年後に社会や自分の会社がどうなっているかわからないし、自分の地位やポジションもどうなっているかもわからないから、将来のリスクを減らすために今何をすればいいのか考える、というようなことは必要なかった。人生の目的は、一流と言われている企業に「入る」ことで大部分が達成されてしまったのだ。

そういう社会で従順に過ごしてきた人は将来のリスクを考えることができない。「就職する」「会社に入る」ことで安定が手に入ると信じ切っているので、将来起こるかも知れない最悪の事態というイメージを持つことができない。そして、将来のリスク、将来起こるかも知れない最悪の事態をイメージできないような男性が、娘に結婚を勧めるのだと思う。大事なのは、娘が同棲しているのか結婚しているのかではなく、娘自身が、あるいは娘の恋人が、社会的に自立できているかどうかだ。

将来起こるかも知れない最悪の事態というのは交通事故とか飛行機事故とか地震などではない。自分が、家族や会社から評価を失うことだ。

将来のリスクをイメージできない父親に育てられた男が、将来のリスクをイメージするのはむずかしい。そういう男は、たとえば恋愛において一度関係ができてしまうと、その関係は永遠に続くと勘違いしやすい。将来何が起こるかわからないから、今必要なのは二人の間に信頼を築くことで、そのための努力を払う、というような当たり前のことがわからない。

一流企業に入ったとしても…

大企業のサラリーマンとの夕食はショックだった。こういう人間に育てられた子どもは何を幸福の基準にして生きるのだろうと思った。取材で中学生や高校生に会うと、彼らは一様に口を揃えて、親には心配をかけたくない、と言う。本当に親を恨んだり、親に心配をかけてやろうという子どももいるだろうが、どちらかと言えば、きっと少数だろう。

子どもは自立するまでは親がいなければ生きられない。依存しているわけだから、必死になって親のことを好きになろうとするし、その延長として親には心配をかけたくないと思っている。それでは、親に心配をかけない生き方とはどういうものだろうか。

「どういう生き方をすれば親は安心すると思う？」

わたしは、中学生や高校生に質問するが、はっきりと答えられる子は非常に少ない。

「一流と言われる企業に就職すれば、親は安心すると思います」

「一流と言われる企業に勤めている男性と結婚すれば、親は安心すると思います」

そういう風に答えた子は一人もいなかった。安心や安定の条件が変わりつつあるが、その条件がどういうものか教えてくれる人がいないのではないだろうか、そういう感じさえする。

退屈な人生より確かな失恋の痛手

最近友人が失恋した。簡単に言うと、恋人にふられたのだが、わたしの友人には妻子があった。相談を受けて、何度か一緒に酒を飲んだ。一般的に言うと、わたしの友人はほとんど同情してもらえない。不倫の相手から去られても世間的には誰からも同情してもらえないのだ。

アメリカ人の友人からも同じような相談を受けたことがある。彼の場合は不倫ではなかったが、四十過ぎで独身だったその友人は仕事でキューバに行って、キューバ女性に恋をしてしまった。キューバで素敵な女性に出会って恋に落ちた、というメールが来たので、気をつけたほうがいい、という返事を書いたのだが、すでに遅かった。

彼はそのキューバ女性との結婚を考え始めていた。キューバとアメリカは国交がない。日本人男性が北朝鮮に住む北朝鮮の女性と結婚するよりもっと政治的に困難が多いかも知れない。それにキューバ女性はいろいろな意味でしたたかで強い。ずるいという意味ではなくて、生命力が強く、激しいのだ。

阿部定《あべさだ》という女がいて、彼女が起こした事件は何度も映画になっている。つまり彼女は嫉妬に駆られて恋人を殺しその男性器を切り取ったのだ。ずいぶん昔のことなのにいまだに映画になったりするのだから、当時の日本社会にとってはとんでもない事件だったのだろう。

だがキューバでは嫉妬に駆られて男性器を切り取るという事件はそれほど珍しいものではない。キューバ人に阿部定の話をしたら、そういう女はキューバには何百人もいると言われた。キューバの名誉のために言っておくが、キューバの女性が野蛮なわけではない。キューバでは女性の社会進出は日本以上に盛んで、女性の権利も守られている。政府の要職、医師や弁護士などの専門職に就いている女性も多いし、音楽家やダンサーなど女性芸術家も多い。

野蛮なわけではなくて、気性が激しいのだ。わたしの友人のキューバ人ミュージシャンは、浮気しているのではないかと奥さんに疑われて、寝ているときにガソリンをかけられそうになったと言っていた。変な匂いがして目を覚ますと、枕元にガソリンの缶とマッチを持った奥さんがせっぱ詰まった表情で立っていたそうだ。そういう場合離婚するか、完全に浮気を止めるかしないと本当に殺されるんだ、とその友人は言っていた。

失恋の傷みは三年で消える

キューバ女性に恋したアメリカ人の友人は、それまでアメリカ人女性とはうまくいかなかったようだ。わたしもアメリカ人の女性と結婚してうまくやっていく自信はない。ニューヨークなど都市部に住む大多数の女性は、わたしが知っている限り、あまり家庭的ではない。わたしはこの二十五年間で百回近くニューヨークに行き、延べにすると千日以上滞在しているが、アメリカの女性が夫や恋人のシャツのボタンを縫い直しているところや、下着を洗っているところを見たことがない。余談だが、日本女性もいずれそうなっていくだろう。それはもちろん憂うべきことではなく、女性の社会進出と大量消費社会の自然の流れである。

キューバ人女性は激しくて強いが、アメリカの都市部の女性には失われたホスピタリティを残している。単純に言うと、男が甘えてもそれを受け入れてくれるのだ。

わたしの友人のアメリカ人はずっとニューヨークに住んでいたので、キューバ女性の温かいホスピタリティとセクシーな肢体に完全にノックアウトされてしまった。そして、やがて、ふられた。彼女はイタリア人の男と結婚してイタリアでキューバダンス教室を開いたらしい。

わたしの友人の絶望は深かった。わたしは一時期彼が自殺をするのではないかと思った。恋人を失う喪失感はやっかいだ。すべてが色あせて見えるし、もうこの先いいことは何も起きないというような絶望が襲ってきて、自分は魅力のない男だというコンプレックスにも捉われる。自分が大切に思ってきた人に去られると、自分はこの世の中に必要とされていないのではないかという自信喪失状態に陥る。

昔、初冬の北海道の大雪山の麓《ふもと》で、小説の取材のために二週間ほどキャンプをしたことがある。エゾ鹿の交配の季節だった。ときどき山のほうから鹿の鳴き声が聞こえてきた。それは胸を締めつけられるような痛切な声だった。一緒にキャンプをしていたハンターが、あれは雌鹿を得ることができなかった雄鹿が鳴いているんだ、と教えてくれた。恋人や愛人を失った男を見ていると、そのときの雄鹿の鳴き声を思い出してしまう。

＊

別の友人は、二年間同棲していた恋人から去られて、一ケ月の休暇を取りインドを放浪してきた。彼は優秀なTVディレクターで、もてない男ではないので、他の女性を探せばいいのにと思ったが、もちろんすぐに新しい恋人が見つかるわけがない。去って行った恋人への思いが深ければ深いほど、傷は大きい。仏陀や三蔵法師でもないのに一ケ月もインドを放浪しなければいけないほど、彼にとってその傷は深かったのだ。

だが、彼らと接していてわたしは不思議なことに気づいた。最初のもっとも苦しい時期を過ぎると、彼らの苦悩が充実したものに見えるときがあるのだ。たとえば近親者の死のような、回復が非常にむずかしい苦悩もあるし、わたしは基本的に苦痛や苦悩が嫌いだ。しかし、わたしの友人たちを見ている限り、苦悩は退屈よりもましではないかと思えてくる。

わたしはいくつか彼らにアドバイスする。まず、回復にはかなりの時間がかかると覚悟を決めるということだ。喪失感は時間の経過とともに薄くなっていくが、それでも傷が深ければ深いほど、繰り返し憂鬱《ゆううつ》が襲ってくる。あれから三ケ月も経っているのにどうしておれはこんなに苦しまなくてはいけないんだ、と思わないために、最初から、傷が癒えるまでには三年かかる、と覚悟を決めたほうがいいのである。

次のアドバイスは、酒などに溺《おぼ》れて現実から逃げようとしてはいけないということだ。恋人を失った男にとって、もうすでに彼女はいないし彼女の肌に触れることはできないという事実は耐えがたいものだ。したがってその耐えがたい現実からどうにかして逃げようとする。もっとも手っ取り早いのは酒だが、精神的苦痛にさいなまれているときは、当然のことだが気持ちよく酔えない。気持ちよく酔えないが内臓にはしっかり負担がかかっていて、からだを壊すこともある。からだが弱ると、現実に立ち向かうことがむずかしくなる。二日酔いの自己嫌悪と喪失感が重なると気分は最悪だ。

〝最悪〟な人生とは何だろう

その次のアドバイスは、失恋を他のことと結びつけて考えてはいけない、ということだ。幼少時に家族的なトラブルで傷を受けた人は、失恋などの喪失感が昔の傷を呼び寄せてしまうことがある。自分は誰からも必要とされない人間なんだ、という風に思ってしまう。自分には魅力がなく、きっとこれからも誰からも大事にされることはないだろうと自信を失ってしまうのだ。人格的な自信と、失恋の精神的苦悩を結びつけないようにしなくてはいけないのだが、それは簡単ではない。憂鬱の波が襲ってくると、他の憂鬱な記憶も一緒に甦《よみがえ》ってくる。憂鬱な感情というのは、憂鬱な過去や現実を探し出して、それを引き寄せてしまう。

最後のアドバイスは、失恋の精神的な苦悩から一時的にせよ自由になれるのは、充実した仕事しかないということだ。充実した仕事というのは本質的に楽しいので、その仕事をしているときだけでも傷から自由になれる。そして、充実した仕事はずたずたになった自信の回復にも役立つ。

というようなアドバイスをして、徐々に傷から自由になっていく彼らを見ていると、彼らの苦悩が充実したものに思えてくることがある。もちろん彼らが回復を果たしたわけではない。彼らは時どき非常な憂鬱と喪失感に襲われる。退屈な人生を送る人は、そういった苦悩とは無縁だ。わたしは、人生には苦悩が必要だなどと思っているわけではない。苦悩が人間を強く豊かにするなどと思っているわけでもない。苦悩なんか大嫌いだ。

だが精神的な苦悩に耐えている人は、何も起こらない退屈な人生を送っている人よりもはるかに充実しているように見えるときがある。それが退屈だと知らずに、平穏だと勘違いして、退屈な人生を生きている大勢の人たちがいる。最悪なのは、そういう人たちだろう。

他人を真似するだけの愛

この世界に不思議なことはいろいろある。隆盛を極めた音楽のムーブメントがどうして消滅してしまうのかというのもその一つだ。たとえばモーツァルトの生きた時代、音楽家は大勢いて、たくさんの曲が作られたが、現在残っているのはモーツァルトのものだけだ。それはバッハでも同じだし、ロマン派になるとベートーベンとかブラームスとかやや多くなるが、それでも歴史の淘汰に耐える音楽はわずかしかない。

音楽のジャンルそのものでも、そのムーブメントはいつかは終わってしまう。クラシック音楽は、再演されるだけで、新しく作られることがほとんどない。また、ミュージシャンも、活動期間というものは限られている。スティービー・ワンダーは一時期信じられないような天才を発揮して次から次へと名曲を作ったが、今はほとんど曲を作っていない。バート・バカラックにしても、エルトン・ジョンにしても、ブルース・スプリングスティーンにしても、ビリー・ジョエルにしても、ヒット曲を連発していた時期は本当に短かった。彼らはどうして永遠に名曲を作ることができないのだろうか。

クラシックの世界でも、バロックが始まってやがて終わり、古典派が生まれてそれも終わり、ロマン派、印象派、と続くのだが、そういうムーブメントもいつか終焉《しゅうえん》を迎える。アフリカの黒人が奴隷として新大陸に渡ってきて、北アメリカでブルースが生まれ、やがてそれはニューオリンズで洗練され、さまざまな音楽と融合を重ねてジャズが誕生する。基本的にダンスのための音楽だったジャズは、チャーリー・パーカーによって芸術となるが、ニュージャズと呼ばれた前衛が現れてまもなく、音楽のジャンルとしてのムーブメントは終わってしまった。

もちろんジャズは現在でも世界各地で演奏されているし、大規模なフェスティバルも開催されている。だが、それは再演に過ぎない。ジャズが文化的なムーブメントとして、偉大な活力を持った時代はもう二度と来ないだろう。

そういったムーブメントとしてのアートの誕生と消滅はジャズに限らない。絵画は、20世紀の印象派の時代から、前衛化が進んだ。ピカソやミロやゴッホなど偉大な画家が数多く誕生したが、彼らを越えるような画家は現在現れない。もちろん絵画は今でもおおいに描かれている。油絵でも版画でも、絵を描いている人の数は歴史上現在がもっとも多いだろう。おそらくピアノを演奏する人の数も、歴史上現在がもっとも多いはずだ。だが、ショパンやリストやシューマンやドビュッシーが作ったようなピアノの名曲はもう生まれることがない。

活力はいつか消滅する

何を言いたいかというと、音楽にしろ絵画にしろ、そのジャンルの活力はいつかは消滅するということだ。音楽に関して、わたしは現在クラシックとキューバ音楽以外ほとんど聞かない。わたしはアメリカとイギリスのロックとポップスを聞いて育った。小学校五年生のときにビートルズがデビューした。高校の頃に、ロックシーンが活発になり、世界的なビジネスになった。一九七〇年だったが、上京してから、最初に見た外人タレントのコンサートが白人のブルースギタリストのジョン・メイオールだった。それ以来、シカゴやグランド・ファンク、ピンク・フロイド、サンタナ、デビッド・ボウイなどが相次いで来日した。

セックス・ピストルズがデビューしてから、つまりパンクが誕生してからわたしはロックを聞かなくなった。セックス・ピストルズを聞くのは辛かった。同時に、ずっと聞き続けていたジャズも聞かなくなった。

今の日本のポップスはまったく聞かない。つまらないというわけではなくて、わたしにとって必要のないものだからだ。何百万枚と売れる日本の音楽にまったく興味が持てないので、自分の感覚が古くなっているのではないか、新しいものを認めようとしていないのではないかと思って、謙虚な気持ちで日本のポップスを聞くこともあったが、どうしても興味を持つことができなかった。

ヒップホップやハウスミュージックを初めて聞いたときには、新鮮だったが、やはり自分には必要のない音楽だと思った。

＊

ビートルズやローリング・ストーンズの全盛時代、日本にはグループサウンズというジャンルのポップミュージックがあった。今、グループサウンズの曲を聞くと、ほとんど歌謡曲で、あまりに日本的で笑ってしまう。だが、当時はビートルズやローリング・ストーンズと同じような文脈で語られていたのだ。

突然話題が変わるが、ＡＩＢＯというロボット犬がいる。犬という動物をまったく見たことがない人も、ＡＩＢＯのことを可愛いと思うだろうか。ＡＩＢＯは、犬の可愛さをコピーしたものだ。わたしたちが本物の犬を見て、可愛いと感じる動きをＡＩＢＯはなぞっている。それはヴァーチャル・仮想現実ということではない。現実の犬をなぞった、代替物なのだ。

誤解して欲しくないのだが、わたしはＡＩＢＯそのものやＡＩＢＯの開発者やＡＩＢＯの購入者を批判しているわけではない。ＡＩＢＯの可愛さは、実際の犬の可愛さをなぞったものだと言いたいだけだ。なぞっているだけだといって、ＡＩＢＯの価値が下がるわけではない。

現在のポップスのほとんどは、ＡＩＢＯと同じように、過去のポップスをなぞっているだけではないかと思うときがある。昔、ビートルズやローリング・ストーンズを初めて聞いたとき、何か不穏な感じがした。もちろんそれには、こんなものを聞いていると不良になる、というような大人の規制が影響していたと思う。しかし、ローリング・ストーンズを聞くうちに、本当に不良になっていった生徒が何人もいた。ローリング・ストーンズは、大人の言うことを信じるな、というようなメッセージの歌を歌い、実際にドラッグや過剰なセックスの世界をわたしたちに紹介し、大人たちから嫌われていた。

誤解しないで欲しいのだが、わたしは今の日本のポップスに不良性がないからつまらないと言いたいわけではない。わたしが言いたいのは、本当は終わっているジャンルの音楽を、ＡＩＢＯを作るように、なぞっているだけではないだろうかということだ。

なぞるだけの恋愛のゆくえ

中学生の頃、教師からひどく叱られて、家にも戻りたくなくて、暗くなった通りを歩いていたことがあった。わたしの生まれた町には米軍基地があった。外人バーの通りを歩いていると、ローリング・ストーンズの新曲が聞こえてきた。それは、『黒く塗れ！』という曲だった。

「おれの前に赤いドアがある。おれはそれを黒く塗りたいと思った」

というような歌詞だった。不穏な歌だったが、大音量で聞いていると、別に教師に怒られたことなんか大したことじゃないじゃないか、と思えてくるような奇妙な力があった。音楽が生きていて、自分のからだに入り込んで、心を揺すって、「お前は今の現実に満足しているのか。満足してないんじゃないのか。だったら何とかしろ。現実を変えろ。現実から逃げろ」というような、不吉なエネルギーに充ちていた。

誤解しないで欲しいのだが、昔は良かったと言っているわけではない。ただ、昔は、ロックが終わっていなかったのではないかと思うだけだ。ビートルズやローリング・ストーンズの音楽は、理性ではなく、意識でもなく、もっと深いところを刺激した。こんな音楽を聞いていたら自分はまともな大人になれないかも知れないと不安になることもあったし、実際に親や教師は、こんな音楽を聞いていたらまともな大人になれないぞ、と脅した。そうやって子供を脅すということは、大人の社会は、ビートルズやローリング・ストーンズを恐れていたのだ。そういう音楽が、今この日本にあるだろうか。

　ＡＩＢＯのように、可愛さをなぞるという考え方は、現代に充満しているような気がする。恋愛をなぞっているだけではないか、というカップルもいる。テレビドラマや小説で刷り込まれた恋愛という概念を、単になぞるだけの恋愛。みんなが恋愛しているようだからわたしも恋愛をしなければいけない。みんなが好きな人とエッチをしているようだからわたしもしなければいけない。

　ただ、音楽のムーブメントが終わることはあっても、人類から恋愛という個人的なムーブメントが終わることはないだろう。だが、恋愛が可能な人は限られているから、恋愛をなぞる行為はこれからも増えていくだろうとわたしは思う。

誰も気づいていない異常な事態

経済格差のことはメディアではほとんど扱われることがない。メディアが怠慢だというわけではないと思う。格差について伝える文脈がメディアにないのだ。このエッセイでも同じようなことばかり書いているが、最近特に何かわけのわからない違和感を覚えることが多い。何か異様なことが進行しているのに、誰もそのことを考えていないし、気づくことができないでいる、というような感じだ。

それはたとえば大阪で起きた児童殺傷事件を考えるときに襲ってくる不安感と焦燥感に似ている。理解しがたいことが進行しているがそれをどう考え、どう捉えればいいのか見えてこない。金融経済に関心がない人には退屈な話題かも知れないが、銀行の不良債権問題にも似たような側面がある。

不良債権というのは簡単に言うと、銀行が貸しているお金の中で、返ってこない危険性のあるお金のことで、借りているのはおもに大企業だ。無理に返済を迫るとその企業がつぶれてしまうので、銀行としても利子を支払ってもらうだけで我慢している場合もある。そういった焦げ付きそうな貸付先があると、銀行の役割であるお金の仲介がうまくいかなくなる。

お金の仲介というのは、わたしたちが銀行に預けた預金を、企業に貸して、仲介料を得たりすることだ。つまり、わたしたちが銀行にお金を預けて、銀行はそのお金を企業に貸す。そうやってお金は回り、経済が動く。でも、仲介機能がうまくいかないと、新しく事業を始める人がお金を借りることができなくなる。だから、不良債権は早急に処理しなくてはいけないと言われている。

だが、実はソニーやトヨタのような優良企業はもう銀行からお金を借りる必要がない。株式や社債を新しく発行して市場からお金を集めればいいからだ。銀行の融資を必要としているのはおもに中小零細企業なのだ。しかも、優良な中小企業はやはり銀行からの借り入れをあまり必要としていない。銀行からお金を借りたがっている中小零細企業は、たいてい業績が悪い。

さらに、不良債権が問題となっている今でも、低金利のため銀行にはお金が余っている。じゃぶじゃぶに余ったお金の使い道がないので、銀行は国債を買っていて、そのために国債の価値が上がり、利子は下がっている。要するに銀行は、お金がないので貸せないわけではない。銀行がお金を貸したい企業は借りる必要がなく、お金を借りたい企業には銀行はお金を貸したくないのだ。

＊

相当におかしな状況が起こっているということになる。ただ、だから不良債権を処理する必要はないということではないのだが、日本経済のもっとも深刻な問題は、根本的な活力が失われようとしているということではないかとわたしは思う。

元気な人が異様に見える社会

自営業は減り続けているし、起業しようという人が先進国の中では異様に少ない。周囲を見ても、やたら元気があるな、と思う人はどこか変だ。大学の弁論部みたいな人、体育系の応援団みたいな人、熱血教師みたいな人、そういう人にはなるべく近づかないようにしようと思ってしまう。奇妙なことに、元気がない人のほうがまともに見える。「元気な人」という概念が昔と違っているのかも知れない。政治家は駅前で大声を上げているが、あれを元気な人と言ってもいいのだろうか。居酒屋などで大勢で集まったときなどに、全体の音頭を取るようにはしゃぐ人がいるようだが、そういうのを元気だというのだろうか。テレビのバラエティ番組などで異様にテンションが高いタレントをよく見るが、ああいうのを元気がいいというのだろうか。わたしはよくわからない。

元気がいいということが誤解されているような気がする。宴会で騒ぐのが元気がいいわけではないだろう。わたしたちが、誰かを指して、あの人は元気がいいね、と言うとき、その人はある集団の中にいるだろうか。それとも一人だろうか。どんな集団にも、その集団を盛り上げるのが得意な人がいる。そういった人はやたら声が大きかったり、ジョークがうまかったり、酒が強かったり、妙に明るかったり、目立つのが好きだったりする。わたしはそういう人が昔から苦手だった。

一人でいるときに元気な人というのを想像できるだろうか。言葉が通じない外国を一人で旅している人をイメージしてみよう。どういう旅人を元気な人と呼べるのだろうか。言葉が通じないのに、現地の人とすぐに友達になれる人だろうか。だいたい言葉が通じないのにどうやって友達になるというのだろう。

公園のベンチで一人で座っている人をイメージしてみよう。その人が元気かどうかどうやって判断すればいいのだろう。その人はベンチに座って何か演説を始めるのだろうか。ベンチに立ち上がって体操のようなことを始める人が元気な人だろうか。だいたい、公園のベンチに一人で座っている人が元気な人か、あるいは元気のない人か判断するのは不可能だ。

あなたは喫茶店で知り合ったばかりの彼氏と向かい合っている。二人きりだ。あなたは彼が元気な人かどうか判断できるだろうか。顔色が悪くて、脂汗を流し、突然嘔吐し始めたら、フィジカルには元気な人ではない、病気なのかもしれない、と思うことができるが、わたしたちが普通使う「元気」というのはそういう意味ではない。

〝孤独〟がなぜ許されないのか

わたしたちのイメージの中で、元気な人はたいていよく笑う。あの人は元気だけど笑った顔を見たことがない、という人がいるだろうか。元気な人はたいてい白い歯を見せて、砂浜を駆けたり、空を見上げたりして笑っている。ただ、公園のベンチに一人で座って笑っている人はどうだろうか。そういう人は元気とは言わない。危ない人だ。孤独だが元気な人、というのをイメージできるだろうか。一人で自分の仕事を淡々とこなしながら、周囲からは、あの人は元気だね、と言われる人があなたのまわりにいるだろうか。たとえばわたしは今、わたしの部屋でたった一人でこの原稿を書いている。あなたはわたしが元気かどうかわかるだろうか。その人が一人のとき、元気な人かどうかどうやって見分ければいいのだろうか。いったい見分ける方法があるのだろうか。

わたしたちが普通に使っている「元気な人」というニュアンスでは、その人が集団の中にいなくてはならない。その人が集団の中にいて、しかもその集団内の結束を高めるように大声を出したり、笑いをとったりしなければならない。それが、わたしたちがこれまでイメージしてきた「元気な人」だ。

そういう人は気味が悪い。たとえばシドニーオリンピックの女子マラソンで優勝した高橋尚子選手は「元気な人」だろうか。世界で最も速いマラソンランナーなのだからフィジカルには元気に決まっている。だが高橋選手が、「数週間に及ぶ高地トレーニングをこなし、世界一速くマラソンを走らなければ自分のことを好きになれない人」だったらどうだろうか。そういう特別で複雑な才能を持つ人を、単純に「元気な人」と呼んでいいのだろうか。

わたしは集団の中で元気を発揮する人が昔から苦手だったし、もう完全に飽きている。別に元気を示さなくても、たとえばきちんとした仕事をすればそれでいいのではないだろうか。日本的な集団、それが常に問題になる。これまでの日本的な集団の中では、孤独になることは許されない。一人で黙っていると、暗い人だといやがられる。何か話さなければいけないし、ひどい場合には何か歌わないといけないこともある。酒を飲まないといけないことも、おかしくもないのにみんなと一緒に笑うことを強制されることもある。

孤独な人、一人でいる人を、「元気な人」と呼ぶことはほとんどない。これまでの日本社会の文脈の中で、元気な人というのは、必ず集団の中にいて、その集団の利益のために、その集団に活気を与える人を指していた。今、日本では、不要な集団が増えているし、大前提的な結束ではなく集団のルール作りが必要とされていることが多い。つまり今、「元気な人」は「単に迷惑なだけ」ということが多いのだ。

自信を失った男と恋愛に憧れている女

ＳＭがファッションとなって、たとえばインターネットなどで盛んになっているようだ。あなたのＳＭ度は？　というようなサイトもあるし、ＳＭクラブに勤める女の個人ページもあるし、ＳＭのパートナーを探す出会いのための有料サイトもある。

プライベートでＳＭをやる女の子も増えているらしい。もちろん全女性に占めるＳＭ好きの統計などないので、正確にどのくらい増えているのかはわからない。若い女優の卵に会ったりすると、友達がプライベートで女王様をやってるんです、と簡単に言われるような時代になった。どうしてそういう風になってしまったのだろうか、と聞くと、村上さんが『トパーズ』を書いたからじゃないでしょうか、と言われて、そう言えば、わたしにも責任の一端はあるのかも知れない、と思ったりした、というのは嘘で、ＳＭの一般化はわたしの作品のせいではない。

日本の社会の閉塞化と恋愛の陳腐化が進んで、本来恋愛が持っていたさまざまな機能が失われつつある。また、恋愛は誰にでもできるものだという嘘が暴かれ、真実が露《あら》わになっている。そのせいだと思う。

＊

高度成長の頃、地方から都市部への労働力移動があった。村社会や農漁村の大家族が解体され、都市部に大量の核家族が生まれた。要するに、地方の若い人々が都市部に移ってきて、結婚して家庭を作ったわけだ。

なぜ彼らは結婚したのか。それは日本経済が俗に言う右肩上がりの成長を続け、生活が豊かになるという確信があったからだ。当時の若い女性たちは、古い間取りの古臭い家具に囲まれた暮らしよりも、電化されたキッチンや居間のある団地でのモダンな生活を選んだのだった。「団地でのモダンな生活」などと言うと、この本の読者は笑ってしまうだろう。この本の読者の母親の世代の話で、モダンな生活は今や死語になり、ジョークにもなりようがないが、昔は現実だった。

職場が限られていることもあって、当時の若い女性たちは、自分で働くよりも、結婚相手を見つけて団地でのモダンな生活を目指すほうが楽だったのだ。だから若い男たちにしても、結婚相手を探すのにそれほど苦労せずにすんだ。女性は二十歳を過ぎれば結婚を考えるのが当たり前という社会的常識があったからだ。

そういった結婚観の中で、ただの結婚相手探しを恋愛だと勘違いする風潮が生まれた。もちろん結婚相手探しにおいても、恋愛は存在した。だが全部ではなかった。結婚相手の男がそれほど好きではなくても生きていくためにしようがないから結婚したという女性も決して少なくないはずだ。この程度の男だったら我慢できるから結婚してしまおう、という結婚も少なくなかった。でもそのことを認めてしまうと寂しいので、マスメディアによって恋愛という装飾が施された。

単に結婚相手を探しているのではなく、自分は恋愛をしているのだ、と思い込めばそれで寂しさからは逃れられる。そうやって結婚をして、我慢に我慢を重ねてきて、子どもを育てて、子どもが自立し、夫が定年退職したあとにハッと我に返り、恋愛でもなんでもなかったと気づいて離婚をするという中年の女性が増えた時期もあった。

いい人がいれば結婚したい、という女性は今でも大勢いると思う。だが、結婚すればそれだけで経済的に有利になると思っている女性は明らかに減っている。つまり男はその分だけ結婚相手を探すのがむずかしくなってしまった。経済力を含む自分の魅力で、若い女性をゲットしなくてはいけなくなった。もう恋愛の相手探しに協力してくれるような社会的常識はない。

経済力も魅力もない男たち

容姿も含めて、人間的な魅力もないし、経済力もない、という男が恋愛の相手を探すのは極めて困難になっている。だが、冷静に考えると、世の中はそういった男のほうが圧倒的に多い。ほとんどなんの魅力もない、という男たちがマジョリティを作っているというわけだ。

スポーツ紙や男性週刊誌はそういうマジョリティに属する男たちをターゲットにしなければ部数が落ちてしまう。風俗やAV産業もそういう男をターゲットにする。そういう社会で育ってきた女の子たちは、ある時期に、魅力のある男は非常に少ないという事実を知ってしまうが、恋愛への憧れだけは消えることがない。

自信を無くした男たちと、恋愛に憧れる女たちが出会える場所を設定できれば、それは利益を生む。テレクラや伝言ダイアルやある種の風俗や結婚相談所、そしてインターネットの出会いのサイト、さらに新興宗教のような団体もそういった性格を持っている場合がある。

そしてSMもそういった出会いの場所になりつつある。わたしが『トパーズ』という小説を書いた頃は、SMは一般的ではなかった。マニアックな少数の人々が性の避難所として使っていた。しかし一般的になったからといって、SMが避難所であることには変わりがない。SMには入り口があるが出口はない。

わたしたちには他人に何かを試したいという欲望がある。自分との関係の中で他人が喜んだり、ハッピーになることで、自分もうれしくなる、という社会性がある。自分といることで相手がハッピーになったり、いい気分になったり、充実した時間を過ごしたりすることができるように、わたしたちはさまざまなフェイズで努力している。

その努力というのは、むだ毛除去の手術や、整形手術という短期的なものから、将来的に魅力のある人間になるための知識と技術の修得というような長期的なものまでいろいろある。わたしたちは、異性にとって価値のある存在でありたいと思っている。

お互いがお互いに飽きてしまう前に

そして、この世の中には、自分にはまったく価値がない、と思い込んでしまっている人間もいる。彼ら、彼女たちは、思春期に何らかの理由で自己イメージを作ることができなかった。その理由として、たとえばもっともアンフェアなのは幼児期の虐待だ。虐待を受けた人は、親のイメージを再構築して、自己イメージを作るという作業が基本的にできない。

そういった人が、避難所として、あるいは一種のセラピーの場所としてSMを利用するのは理解できる。SMは人間関係を人為的に作る演劇的な性のゲームだからだ。絶対的な支配、あるいは被支配、という人為的な関係性の原則があれば、男女間の関係性を新たに築いていく必要がない。だが、わたしたちはセラピーを糧にして、つまり充実の核をセラピーに託して生きていくことはできない。

男女間の関係性を新しく築いていくのは簡単なことではない。わかりやすく言えば、充実した時間を過ごすことで相互の信頼を築いていくということだが、人間的な、あるいは経済的な魅力のない人は、まず、飽きられないようにするのがむずかしい。深い情報と知識があれば、デートの際にラーメンと餃子を食べ、四畳半の部屋でセックスを続けても愛が冷めることはないだろう。会うときは必ずホテルのスイートルームを使い、超高級なワインを飲むというカップルも、それはそれなりに充実感があるかも知れない。

深い知識も豊かな経済力もない男女はどうすればいいのか。愛が冷めるのをじっと眺めるしか、つまりお互いがお互いに飽きてしまうのを黙って眺めるしかない。

人間関係を新しく築いていくのはそういった意味で非常にむずかしい。信頼と緊張感と安定を同時にキープしていくのは簡単ではない。そういったことを無自覚のうちに気づいた人たちはSMという避難所を利用しようとする。

だが、SMは矛盾を内包している。マゾヒストは、尊敬できる人物に自分を支配して欲しいと思っているが、ある他人を支配しようとする人間など尊敬には値しないという真実に目をつぶっている。サディストは、支配が不可能な人間を支配したいという欲望を持っているが、支配した瞬間にその欲望の構造は崩れる。支配が完了すれば、その対象はペットや盆栽や観葉植物と何ら変わらなくなるのだ。SMが一般化し、SMに避難する人が増えていることに関して、わたしは警鐘を鳴らしたりしているわけではない。不安だけがあって、どう生きればいいのかというアナウンスのない時代には避難所は必要だ。だが、避難所は危害を逃れるためにあるもので、いわば入院できる病院のようなものだ。

入院するために生きている人はほとんどいない。本当はどんな人でもいつか避難所から出て行かなくてはならないが、SMという避難所は、演劇的な性のゲームなので、そこが永遠の住居であるような錯覚を生みやすい。

家にこもった人間の恋愛のかたち

バイタリティという言葉があるのだが、今の若い人には馴染みがないだろう。昔、バイタリスという整髪料があった。当時若い男の整髪料というとそれしかなかった。

記憶が少し曖昧だが、確かバイタリスのCFでは、今はおもにお父さん役でドラマに出ている草刈正雄と、「ウルトラマン」に出ていた団時朗という俳優が、ブチのグレートデンと一緒に登場していた。あれはたぶん七十年代の最初の頃ではないだろうか。

当時はもちろん男の脱毛など存在しなかったし、加山雄三の胸毛が人気で、今では信じられないかも知れないが胸に育毛剤を塗ったりする高校生がいた。男用のコロンもなかった。探せば輸入品があったのだろうが、一般的ではなかった。アフターシェーブローションなどもなかった。マックスファクターのアフターシェーブローションが日本国内で発売されたのも七十年代初頭だったのではないかと記憶している。

バイタリスというのはどういう意味だったのだろう。Ｖｉｔａｌｉｓではなかっただろうか。(はっきりしないので違っていたらごめんなさい)バイタリティというのは、活力と生命力という意味なので、バイタリスにもそういうニュアンスが含まれていたのかも知れない。

豊かさが〝引きこもり〟を生む

今、昔に比べると人々の活力は上がっているのだろうか。それとも落ちているのだろうか。正確なところは、わたしにはわからない。日本人の活力はGDP(国民総生産)のようには数字で計れないからだ。

だが、たとえば事業の開業率は低くなっているらしい。世の中ではベンチャー企業への期待が高まっているが、個人で事業を興《おこ》す人は減っているわけだ。また自営業は減り続けている。わたしのまわりにも、親は自営業だが自分はサラリーマンという人が多い。自分で店や会社や工場を経営する人が減っているということになる。

以前に紹介した『パラサイト・シングルの時代』(山田昌弘著　ちくま新書)によると、結婚しないで親と同居する人々が増えているそうだ。他の現象面で見ると、引きこもりや不登校も増加している。

それではそもそも「活力がある」というのはどういう状態を指すのだろう。明るく元気にやっている、ということだろうか。明るく元気な人というのはどういう人だろう。いつもにこやかに笑っている人だろうか。

昔、アメリカの若者が海岸や遊園地で明るく笑っているというコンセプトのコカ・コーラのＣＦがあった。やがてそれはいつの間にか日本人の若者に変わった。あのＣＦを初めて見たとき、この人たちはどうして笑っているのだろうと不思議に思い、そのうち恐くなった。なぜ笑っているのかどうしてもわからなかったからだ。

無名の人々が「イエス」と言いながら笑うＪＴ・日本たばこのＣＦがあって、それを初めて見たときも恐怖に襲われた。最近ではやはり無名の男女が笑いながらキスをするビールのＣＦがあるが、あれも恐ろしい。ＣＦに出てくる人物がどうして笑っているのかわからないからだ。

誰かが面白い冗談を言ったのか、何かうれしいことがあったのか、傍で誰かがバナナの皮で転んだのか、照れているのか、笑う理由がわからない。理由なく笑う人は恐い。理由なく笑う人がベンチの隣にいれば、誰だって恐怖を感じるはずだ。

だがいくつかのＣＦには理由なく笑う人々が登場して商品イメージを作っている。わたしがそれらの笑顔に恐怖を感じるのは、痴呆《ちほう》的なものを感じるからだ。多幸症という症状がある。精神分裂症の初期症状の一つで、自分にとって都合のいい妄想、楽しいイメージだけを思い描いて一人でニヤニヤするというものだ。病状がさらに悪化すると、喜怒哀楽がまったく消えてしまい、顔から表情というものがなくなる。

意味なく笑う人々が登場するCFは、視聴者であるわたしたちがとにかく楽しいことや幸福なことに憧れるようにという意図で作られている。彼らはどうして笑っているのだろう、きっと楽しいことがあるか、あるいは幸福なのだろう、わたしも彼らのように楽しくなりたいし、幸福になりたい、そのためにはまず手始めにあのビールを飲んでみよう、視聴者がそう思うように作られている。確かに笑顔は幸福の象徴かも知れない。楽しいときやうれしいときに確かにわたしたちは笑顔を作る。

だが当たり前のことだが、わたしたちはどんなに幸福であっても、ずっと笑っているわけではない。前述したが、理由もなくずっと笑っている人は「危ない人」だ。

要するに、いつもにこやかに笑っているのが活力の証ではないということだが、それでは活力とは具体的にどういうものなのだろうか。Ｖｉｔａｌという英語には、生命に関わる、生命維持に必要な、というような意味がある。生命維持に必要なものは、まず睡眠と食事だ。活力というのは、活きる&生きるためのパワーだとすると、よく眠りよく食べなくてはいけないことになる。不眠症で食欲不振ではあるがからだ中に活力が充ちている、という状態は想像しにくい。

＊

活力がないという状態のとき、わたしたちはどうなるのだろうか。肉体的には、たとえば不眠症になり、食欲不振になり、性欲も減退し、その他にも体調の狂いが出てくる。精神的にはどうなるだろうか。何もやる気が起きない。集中力がなくなり、物事を考えたりするのが面倒になって、外出したり他人に会うのがいやになる。そんなところだろう。

活力という概念からもっとも遠いところにいるのが「引きこもり」かも知れない。引きこもりの典型は、どこにも外出せず、誰にも会おうとせず、自宅あるいは自室に引きこもりテレビや漫画を見たりテレビゲームをして眠くなったら寝る、というものだ。どこにも出かけないとなると食料も買えなくて死んでしまうのでほとんどすべての引きこもりには世話をする人がいる。たいていは家族だ。

引きこもりではなくても、疲れていたり、何か不幸なことがあったときとか、誰にも会いたくないことがある。考えてみれば当たり前のことだが、疲れているときも、何か不幸なことがあったときも、わたしたちの活力は落ちる。

わたしは今この国に活力が失われているのではないかという疑問を抱いているわけだが、どういう風に論議を展開してもそのことを証明することはできないし、それはおせっかいなことなのかも知れない。自分に活力があれば日本という国全体に活力がなくても別に構わないではないか、という考えもあるだろう。

国が豊かになり、社会が成熟すれば、当然失われるものがある。それは餓えや乾きや寒さといったものに対する第一次的な欲望だ。引きこもりの青年は、餓えを感じたらどうするだろうか。誰も世話をする人がいなかったら、外に出て自分で食料を手に入れないと死んでしまう。誰かが彼に食料を与えているから引きこもりでも生きていけるのだ。

餓えは人を外に誘い出す。原始時代、食料がなくなると人々は外の世界に狩りに出かけなくてはいけなかった。餓えが充たされるととりあえずわたしたちは外へ出るきっかけを失う。最低限、水と食料があれば閉じこもることができる。

だがわたしたちには生殖活動に関わる本能がある。子孫を残すために異性を求めるという本能・刷り込みがなされている。だから生殖を終え、子育ても終えた年寄りは、若い人に比べるとあまり外へは出かけなくなる。

SEXの相手探しは簡単ではない

いくら生殖のためとは言え、外に出てセックスの相手を探すのは簡単ではない。異性を探すコストを将来的になるべく低くするために幼稚園から塾に通う男もいる。わたしはどうして日本人のバイタリティの低下を心配しているのだろう。わたし自身が適度のバイタリティを持っていればそれでいいではないか。

だが、バイタリティが失われるとどうなるのだろうか。バイタリティを失った人間は外へ出なくなり他人と出会おうとしなくなる。さまざまな問題を自分一人で考えようとする。他人がいないから悩みや不安の自己循環が始まる。悩みや不安を誰にも話さないから、自分の中で堂々巡りが始まるのだ。その自己循環は恐ろしい。周囲がすべて敵に見えたりする。彼らがナイフや包丁を持ったらどうなるだろうか。毒ガスを製造したらどうなるだろうか。

バイタリティを失った人間が増えると、社会不安が起こり、わけのわからない犯罪が増える。そして一つだけ確かなことがあって、引きこもりには、恋愛ができない。

想像力のない恋愛は、もうやめよう

先月都内のフリースクールを取材した。フリースクールというのは、不登校の子が通う民間の学校だ。フリースクールといっても、その規模や設立趣旨や歴史などの違いでさまざまな種類がある。わたしが訪れたのは、十年以上の歴史があって、生徒数もかなり多いフリースクール一校と、比較的歴史が浅く生徒数も少ない二校、の計三校だった。

比較的生徒数の多いフリースクールは家族的な雰囲気だった。学校というものが家族的でいいのだろうか、とわたしは最初違和感を持った。家族的な学校の内部には競争がない。学校で子どもたちは競争を学ぶ必要があるのではないかという古い先入観にわたしは捕れていたのだと思う。

いまだにこの国では、子どもは学校に行くものだという常識がある。学校に行っていない子どもはどこかおかしいのではないかと多くの人が思っているだろう。わたしにもそういう考えが残っていたし、今も完全に考え方が変わったわけではない。

しかし考えてみると、すべての子どもが学校へ行くのが当たり前になったのはこの百二十年のことにすぎない。明治になって義務教育が始まったとき、明治政府は子どもたちを学校へ行かせるのに大変な苦労をした。農民や手工業において子どもたちは貴重な労働力だったので、親たちは、学校に子どもたちを「奪われる」と考えたのだ。それでもやがてほとんどすべての子どもたちが学校へ行き始めたのは、政府の啓蒙《けいもう》と、子どもたちの側の都合もあった。

つまり学校に行けば労働を免れることができたのだ。子どもは農作業など激しい労働に従事していたが、学校に行けば働かなくてすんだ。それに学校では友達ができただろうし、字が書けたり読めたりできるようになるわけだから、きっと勉強も楽しかったのではないだろうか。

どうして義務教育というものが必要になったかといえば、近代化に不可欠だったからだ。工業化にも、あるいは国民国家の一員という認識を国民全員が持つためにも、また近代化された軍隊を持つためにも、国民教育は必要だった。軍事訓練で、右向け右、と言ったときに、右という意味を全員が理解していないと号令もできない。

＊

この本は本来恋愛を巡るエッセイのはずなのに、どうしてわたしは明治時代の教育などについて書いているのだろうか。それは、現在当たり前のことになっているからといって、それが歴史上延々と続いてきたわけではないということを示したかったのだ。わたしたちはおうおうにして、学校があるのは当たり前、学校に行くのも当たり前、という常識を持っているが、場合によってはそれを疑うことも必要ではないだろうか。

昔は、田舎の農漁村などでは大家族が普通だった。ある資料によると五十人を越える家族もあったそうだ。そういった大家族制には確かによいところがあった。それは、複数の大人が子どもの面倒を見ることができた、という点などである。他者性のある大人が家の中に大勢いたので、母子密着というような問題も発生しようがなかった。また兄弟の数も多く、子どもだけの世界があって、子どもがその中で学べることも少なくなかった。

だからといって、今さら大家族制に戻ることはできないし、当然のことだが大家族制にもさまざまな問題があった。大家族制の中では、女性、特にお嫁さんに来た女性が犠牲になるケースが多かった。男性中心社会だったので、お嫁さんは作業に追われ、愚痴《ぐち》をこぼす相手もなく、子どもをたくさん生むことが半ば義務とされていた。姑や舅《しゅうと》に対しても非常に弱い立場だった。配膳や後かたづけに追われ、台所で一人で食事を済ますお嫁さんの姿は古い映画などではおなじみのシーンだ。当時の大家族制の内部にいた女性が外へ働きに出るなどということは絶対にあり得なかった。夢にも考えられなかっただろう。

コスト&ベネフィットの結婚

なぜ日本に大家族が存在していたかというと、大勢が一緒に住んでいたほうが便利で効率的だったからだ。農漁村では、家族単位で労働することが多かった。家族単位で田畑を耕していたし、手工業では家が工場になっていることが多かった。だから労働者が一ケ所に寝起きするほうが、コストがかからず、効率的だったのだ。大家族制のほうが子どもを教育する上で優れていると思われていたからではない。

農漁村の大家族制は、高度成長によって崩壊した。農村や漁村から都市に働きに出る人が増えたからだ。わたしが中学生の頃、まだ集団就職というものがあった。このエッセイを読んでいる人は集団就職など知らないだろう。中学の卒業生が、何十人、場合によっては何百人とまとまって、田舎から都市へと働きに出るのだ。そのための列車が走っていて、集団就職列車と呼ばれていたりした。

東北方面の農家から集団就職列車に乗ってやった来た中学卒業者達は上野駅に到着した。彼らのことを歌った「あゝ上野駅」というような歌謡曲がヒットしたりしていた。中卒者は安い労働力として日本の高度成長を支え、また高卒者は都市の大学を目指し、都市での就職を希望した。そこで都市に核家族が爆発的に増え始める。

つまり大家族制の崩壊と核家族の誕生は経済的な要請によって生じたことだ。家族の崩壊、というようなことがずいぶん前から言われているが、それでは昔には確固たる家族制度があったのかというと、怪しいとわたしは思う。家族が崩壊しようとしている、子どもが危ない、というようなことをメディアが言うとき、昔は家族も子どもも安定していた、という前提に立っているはずだが、その前提は果たして正しいのだろうかということだ。

＊

家族の基礎となる結婚だが、未婚者が増えているという統計がある。その理由については、単に団塊《だんかい》の世代ジュニアが適齢期に入っているだけだという意見もある。つまり男女の未婚者は傾向的に増えているのではなく、その絶対数が増えているだけだ、というものだ。

実際のところは、わたしにもわからない。ただわたしたちは結婚という制度があるからという単純な動機で結婚するわけではない。自覚的あるいは無自覚的に、コスト&ベネフィット・費用対利益を考えて、結婚を選んできたのだと思う。

もはや結婚で相手を縛れない

このエッセイで何度も書いてきたことだが、昔の女性は社会進出の機会が極めて限られていたので、大前提的に結婚を考えるしかなかった。生きていく上で、他に選択肢がほとんどなかったのだ。雇用における男女差別が完全になくなったとはわたしは思っていないが、女性の雇用機会や職種は昔に比べると格段に増えている。女性が結婚に頼らなくてもとりあえず生きていける社会になりつつある。

教育や家族のことを考えると、これまでの制度が大昔から永遠に続いてきたものではないことがわかったと思う。結婚も制度だ。今後どう変化するのかわからない。子どもの数が極端に減ってしまうと、その民族や種は絶滅する危険があるから人類が子どもを作らなくなる日は来ないだろうが、結婚という制度が形骸化《けいがいか》する可能性はあるし、日本でも既にその兆候があるのではないだろうか。

一つの例はストーカーだ。ストーカー問題にはいくつかの側面があって、自己愛が非常に強く他人のことを考えない人間が増えていることが主要因になっていると思う。だが、結婚という制度が形骸化しようとしているために、その結果としての「自由」に耐えられない人間が誕生しつつあるという見方もできる。

昔は、男女が一度付き合うと結婚するのが普通だったし、雇用機会に恵まれない女性は結婚生活に不満があってもなかなか離婚できなかった。結婚という制度は半ば絶対的なものだったのだ。

今は事情が違う。思っていたような人ではなかった、という理由で、男も女も簡単に他の人を捜し始めることができる。そこで、自分の気持ちも、他人の気持ちも、変化する可能性がある、ということを理解したくない人々がいて、彼らは相手の「心変わり」というものを決して認めようとしない。関係性というものが、昔の制度のように不変だと思い込んでしまっているのだ。

彼らは、不変であると勘違いしている関係性を維持しようとして、無言電話をかけ、雨の中で立ちつくして相手の帰りを待ち、相手が以前のように家に招き入れてくれることを信じて家やアパートの前に佇《たたず》む。物事にも、人間の関係性にも変化と終わりがあることを彼らは知らないし、そのことを教えるアナウンスは非常に少ない。ストーカーは当分の間、増え続けるだろう。

人が家を出なくなる、本当の理由

昨年来から日本の教育問題に関わることが増えた。ＪＭＭというメールマガジンではこの三年間金融と経済の問題を扱っている。金融・経済の諸問題も、教育の問題も、関わっているうちに明らかになっていくことと、そうではないことが出てきて、インプットされる情報の量だけは確実に増えていくので、ときどき頭が混乱することがある。

混乱するというのは正確ではない。たとえば、日本の教育が崩壊しつつある、というような単純な問題の捉え方ができなくなるのだ。確かにこれまではなかったような少年犯罪が頻繁《ひんぱん》に起こるし、たとえば「引きこもり」はこれまでの日本社会には存在しなかった。引きこもりの数だが、五十万人から百万人はいると見る専門家もいる。引きこもりはその原因がはっきりしない。百人の引きこもりがいれば百の理由があると見るべきだろう。たとえば幼児期の何らかのトラウマが引きこもりに結びついているというわけではないようだ。ある特定のタイプの子どもや若者が引きこもりになるわけではない。

わたしたちは、子どもが引きこもりになったと親しい友人から聞かされたとき、どういう反応をするだろうか。昔、問題のある子どもの行動として家出が一般的だった頃、子どもが家出した、と聞くと、何があったんだ？　というような反応が普通だった。彼女と喧嘩をした。あるいは離婚したという場合でも同じだ。

「実は彼氏と喧嘩しちゃって」と聞くと、何があったの？　という風に反応するのが普通だ。喧嘩や離婚や家出には、たいていの場合理由がある。いや、これまでは理由がはっきりしている場合が多かった、ということかも知れない。

中高年の離婚が話題になった頃、その理由がはっきりしないことも多かった。中高年になって、夫が突然暴力的になったわけではなく、また女ができたからというわけでもなく離婚が増えたのだ。

「あなたと一緒にいてもつまらない。これまで我慢して一緒にいたのは子どもが小さかったからだ。子どもも一人立ちしたのでいい機会だから離婚します」

というような理由で離婚する中高年の夫婦が多かったらしい。

引きこもりはどうやって始まるのだろうか。何かはっきりしたことをきっかけに始まるのだろうか。たとえば恋人にふられたとか、学校でイジメに遭ったとか、会社での人間関係がうまくいかなくなったとか、受験に失敗したとか。希望していた会社に就職できなかったとか、そういうことがきっかけになって引きこもりが起こるのだろうか。

「うちの子どもが引きこもりになった」と友人から言われたとき、わたしたちは、何があったんだ？　と聞くだろうか。つまり引きこもりは何か特別なことが本人や家族に発生して始まるものなのだろうか。

日本鹿の群れでは成長したオスは群れから追い出される。母親が乳を与えなくなり、群れから追いやるのだ。そうしないと若いオスはいつまでも母鹿の乳を飲みたがり、近親交配の危険性も生じるし、群れのバランスが崩れてしまう。

動物は群れから離れようとしない

引きこもりはそのほとんどが男性だそうだ。つまりひょっとしたら何も対策を考えずに放っておくと、若い男は生まれ育った家を出たがらないのかも知れない。とりあえず家にいれば危険はないし、食料や生活環境を確保することができる。食べて、寝て、音楽を聴いたり、テレビやビデオやインターネットを見たり、メールを出したり、漫画や本を読んだり、ゲームをしたり、その程度のことは充分に可能だ。

ただ引きこもりになると異性を得ることがむずかしくなる。彼女がいる引きこもりというのは、誘拐して檻《おり》に入れて飼っているような場合を除いて、想像しにくい。しかし女性との会話やセックスを我慢できれば、引きこもりは案外快適なのかも知れない。

＊

歌舞伎町のビデオショップで爆発物を仕掛けた十七歳の事件があったとき、例によってメディアは、普通の十七歳にいったい何が起こったのか？　というようなスタンスで報道した。何か特別なことが犯人の少年に起こって、それで彼は犯行を計画し実行したのだろうという考え方だ。つまり引きこもりにしろ少年犯罪にしろ、何か特別な事情がなければ起こらない、という基本的な考え方でメディアは事件を報道するわけだが、果たしてそれは正しいのだろうか。

日本鹿の例を思い出して欲しいのだが、ある種の動物は放っておけば群れから離れようとしない。ひょっとしたら人間も同じなのではないだろうか。

昔は事情が違った。わたしが小さい頃は日本全体が貧しくて、ほとんどの家庭では、学校にも行かず仕事もしないような若い息子を家に置いておく余裕などなかった。若い男は成長すると働かなければならなかった。息子の稼ぎを一家が当てにすることもあったし、息子が働かなければ食べていけないような家族も多かった。当然引きこもりなど存在しなかったが、だからといって引きこもりがなかったのだから昔のほうがいい時代だったと言う人はいないだろう。

それでは昔よりも今のほうがいい時代なのかというと、その通りなのだが、より正確に「少なくとも昔よりはいい時代」と言わなければいけないだろう。昔の人は、貧乏な中で生きてきて、豊かな世の中を作るために必死で働いてきたので、豊かになったときにどういう問題が起こるのかというようなことは考えなかった。考えなかったというよりも、知らなかったというほうが正確だろう。生活が豊かになると、成長しても家から一歩も出ないというような男の子が出現するようになる、というようなことを予言できるような人間は恐らくいなかった。

豊かな社会が実現すると、これといった理由もなく離婚する中高年の夫婦が増える、ということを予言した人もいないのではないだろうか。

バスジャックなど凶悪な少年犯罪が起こるたびに、あるいは教育の現場で授業中に突然立ち上がって椅子を窓ガラスに投げつける生徒がいると聞くたびに、彼らはそういうことを本当にやりたかったのだろうかと考えてしまう。レンタルビデオショップで爆発物を仕掛けた少年は、本当に爆発物を爆発させてみたかったのだろうか。本当に爆発物を爆発させるのが好きだったら、映画の特殊技術か、石油発掘の岩盤調査の仕事をやればよかったのにと思う。

授業中に突然椅子を窓ガラスに投げつける生徒は、本当にそういう行為が好きなのだろうか。ひょっとしたら、他に何をすればいいのかわからないのではないだろうか。とっくにふられているというのに、雨の中にずっと立ちつくして恋人の帰りを待っているストーカーは、本当にそういう行為が好きなのだろうか。冷たい雨に濡れて人を待つのが大好きなのだろうか。無言電話をかけてくる人はどうだろう。あるいは、やや極端な例だが、中央線のホームに佇《たたず》んで自殺を考えながら電車を待つおじさんはどうなのだろうか。おじさんは本当に自殺したいのだろうか。小さいときからずっと自殺に憧れていて、やっと夢が叶《かな》うと、うきうきしながらホームに立っているのだろうか。

なぜ愛した人に嫌がらせを…

そんなことはあり得ない。彼らは他にどうすればいいのかがわからないのだ。社会が豊かになれば、彼女からふられたときにどうすればいいのかわからずに、じっと彼女の家の前で立ちつくすような男が増える、というようなことをわかっていた人はきっといなかっただろう。ストーカーも中高年の自殺者も、引きこもりも、校内暴力を繰り返す生徒も、きっと特別な原因があるはずだ、という考え方は、昔の高度成長の時代のものだ。豊かになると、貧乏だった頃に比べて、犯罪や社会現象の背景が変わる。だが、問題は、背景が変わるということに、気づいていない人が多いということだ。気づいていない代表はマスコミ、メディアだ。

試しに、ストーカー規制法で逮捕されたストーカーたちに大規模な取材をしてみるといい。あなたは何が原因で別れた恋人に嫌がらせを続けたのですか？　と聞いてみたらどうだろうか。彼らは別れた恋人に嫌がらせをしたかったわけではなく、その他にどうすればよかったのかがわからなかったのだとわたしは思う。

「恋人にふられたとき人間はどうすればいいのか？」

そんな質問も、答えも、貧しい時代には必要がなかった。働いて食べるのに必死だったからだ。だから、さまざまな問題の答え、マニュアルのようなものが必要なのに用意されていない時代には、さまざまな混乱が現れるのである。

フリーターの未来と恋愛の危うさ

日本労働研究機構が首都圏の高校生を対象に調査したところによると、十二パーセントの高校生が進学も就職もせず、フリーターになることを予定しているらしい。おそらく、フリーターという言葉がこれほど一般的になっていなかったら、フリーターはこれほど増えていなかったかも知れない。フリーターという言葉によるカテゴライズは、定職につかず、学校にも行っていない人々に安心感を与える。

就職もせず学校にも行っていないのは自分だけではない、と思うことができるからだ。日本社会では、マジョリティ・多数派に属していることでとりあえずの安心感を得ることができる。明治以来、近代化のために安定したマジョリティの形成が進められてきた。近代化には国民の総動員が求められる。近代国家には訓練された軍隊が必要だし、効率的な大工場も必要だ。数人の家内制手工業が主流の社会では民族・宗教・階級的カテゴライズを除いて、社会的マジョリティもマイノリティもない。

戦後は高度成長のためにマジョリティの形成が不可欠だった。大量の労働力が、つまり大量の工場労働者とオフィス労働者が必要だった。ブルーカラーとホワイトカラーという言葉はすでに死語になっているが、共に高度成長には必要な職種だった。中卒の若い労働者は、安い給料に耐えてよく働くので「金の卵」と呼ばれていた。高卒者は、下級事務職か、工場労働者としてマジョリティの一部になったし、学卒者は上級事務職と工場管理労働者としてマジョリティを担った。

給与労働者以外には、小売りなどの自営業や医者や弁護士、教師や会計士など職業は限られていた。要するに、日本社会にはごく限られた例外を除いてマイノリティが存在しなかった。そしてマジョリティに属しさえすれば安定が約束されていたわけだ。

その名残がメディアにはまだ残っていて、都合のいい言葉はすぐに一般的になる。フリーターという言葉はあっという間に一般的になった。とても便利だからだ。最初は、就職もせず学校にも行かない若者たちが増えて、彼らを何と呼べばいいのかわからずに困っていたメディアが好んで使った。フリーターのフリーという言葉にはポジティブなニュアンスがある。好きな仕事も学問もないが自由がある、というような響きがある。

今はフリーターをやっています、と宣言すれば、劣等感を感じなくてすむようになった。そしてもっとも重要なのは、フリーターという言葉によって「自分だけではない」というマジョリティの感覚を持てるようになったことだろう。繰り返すが、多数派の一部に属していればこの国の社会ではとりあえずの安心感を得ることができる。

「好きなことがみつかるまで」の誤算

以前、ある雑誌のエッセイで「フリーターには未来がない」と書いたら、ネットの掲示板などにフリーターからわたしへの批判が集まった。フリーターと一括《ひとくく》りにするな、という批判から、お前にフリーターの何がわかるんだ、というような批判までさまざまだったが、要するに彼らは「未来がない」と言われたことで不安になったのだろうと思う。

フリーターと一括りにするのはフェアではないかも知れない。わたしは、フリーターのことなどどうでもいい。フリーターという言葉によって何かが曖昧になり、何かが隠蔽《いんぺい》されるのが不愉快なだけだ。

しかし、フリーターにもポジティブな側面はある。おそらく一部のフリーターは、いい大学を出て大きな会社に就職しさえすれば充実した人生が用意されるという嘘に、自覚的に、あるいは無自覚に気づいたのかも知れない。彼らは大学、短大、専門学校などに行き、大きな会社に就職するというモチベーションを失ってしまった。だからといって、当面何をすればいいのかはわからない。そこで、猶予《ゆうよ》期間を自ら設定し、フリーターと名乗ったのかもしれない。

「好きなことが見つかるまで、フリーターしようと思ってます」

というようなことを口にするフリーターが目立つ。彼（彼女）がイメージする「好きなこと」というのはどういうことだろうか。たとえばＧＬＡＹが好きとか、柏レイソルが好きだとか、そういうニュアンスの「好き」だろうか。そういう意味の「好きなこと」だったら比較的簡単に見つかるだろう。あるいは、イチローにとっての野球とか、中田英寿にとってのサッカーとか、そういうものだろうか。そういうニュアンスの「好きなこと」だったとしたら、大人になってから見つけるのは非常にむずかしい。子どもだったらまだしも、二十歳を過ぎて、職業につながる「好きなこと」を探すのは簡単ではない。

＊

好きなことを持っていない人間は時間だけは充分に持っている。彼らは余っている時間に何をすればいいのかわからない。彼らが余っている自分の時間を消費できるような業態・製品はヒットする。テレビゲーム機や携帯電話、コミックス、ゲーセンやカラオケなどだ。

何をしたらいいのかわからなくて、時間が余っている人間は、つい余計なことを考えがちだ。自分は無用な人間ではないのかとか誰も自分のことを愛してくれないのではないかとか、逆に、一度自分のことを好きになってくれた異性は決して嫌いにならないはずだとか、二十回もセックスをしたのにそのあとで自分のことを嫌いになるはずがないとか、そういうどうでもいいことをつい考える。

集中することがないので、自分とその近辺のことにだけ集中するのだ。ストーカーになるためには、自己愛が強いとか相手の心変わりに対する理解がないとか、そういうことの前に、ストーキングをするための時間的余裕が必要だ。忙しい人はストーカーになるのがむずかしい。相手のアパートの前に立ちつくすのも、無言電話をかけるのも、とにかく時間が必要だ。

たとえばわたしは締め切りというものがあるから、ストーカー的な行為はとてもできそうにない。近年、ストーカーという現象が生まれ、それが増えつつあるのと、フリーターの増加は決して無関係ではない。共通しているのは、有り余る時間がある、つまりヒマだということだ。

好き嫌いの生理的要因

恋愛するとき、ヒマそうな人には用心したほうがいいと思う。ことさら忙しい人を選ぶ必要はないが、ヒマそうな人は問題が多い。ヒマそうな人は、余計なことを考えがちで、コンプレックスが肥大しているかも知れないし、自意識過剰になっているかも知れない。とにかくろくなことはない。

好きなことを持っている人は、有り余る時間などない。たとえ好きなことが有名タレントの追っかけでも、彼（彼女）はストーカー行為を働く時間的余裕がない。

好き、好きなこと、に今わたしがこだわっているのは、キューバから戻ったばかりというのも大きいと思う。キューバのことをエッセイなどで理解してもらうのは非常に困難なのだが、キューバ人が音楽が好きというのと、日本で音楽が好きというのとニュアンスが違うような気がして、その違いが何なのか、まだうまく説明できない。

好き、あるいは嫌いという感情・感覚は本来個人的なものだ。何かを好きになったり、嫌いになったりするときに、わたしたちは個別の自己に出会う場合がある。ポテトチップスが好きだと思った瞬間に、わたしたちはポテトチップスが好きな自分に出会う、というわけだ。何かが好きだというとき、そこには生理的な要因がある。あの人のことは生理的に嫌い、などとわたしたちはよく言うが、好きになったり嫌いになったりするのは、生理的な要因がもっとも大きい。

だから本来は、好きなものが見つかった瞬間に人間は孤独になる。しかし、わたしたちが生理的な要素をすべて自分自身でコントロールしているというわけでもない。テレビの

ＣＦの影響で何かを好きになってしまうこともある。わたしは三十年ほど前に、チェルシーというキャンデーのＣＦに出ていた女の子が好きになって、同時にチェルシーというキャンデーも好きになった。

それを好きになればマジョリティに属することになる。仲間ができる、というような理由でも、わたしたちは何かを好きになってしまう。巨人のファンになれば上司とうまくいくかも知れない、という理由で巨人ファンになるおじさんも多い。

好きという感情・感覚に興味は尽きない。

あなたの彼は「恥ずかしくない」存在か

何人かの外国人ジャーナリストと話す機会があって、その際に、確かデンマークの新聞記者だったが、フリーターについての発言があった。彼は、そもそもどうしてフリーターという人種がいるのかわからないと言ったのだ。フリーターには大まかな定義があって、年齢は十五歳から三十四歳、未婚で、定職に就いていないこと、だそうだ。その数は約百五十万人と言われている。

デンマーク人が不思議に思ったのは、そんなことをしても何の利益もないのにどうしてフリーターと呼ばれる人々が存在しているのか、ということだった。わたしたちはフリーターという言葉をいつの間にか受け入れてしまった。

「あなたの彼は何をしている人なの？」

と聞かれて、フリーターと答えるのはそれほど恥ずかしいことではない。

フリーターという言葉はとても便利だ。おそらくフリーターにはいろいろな種類があるのだろう。やりたいことがあるがまだまだ勉強したいのでアルバイトしながらチャンスを待っている人もいるだろうし、仕事をステップアップするために一時的にアルバイトをしている人もいるだろう。そういう人たちは放っておいても大丈夫なはずだが、フリーターの中では少数だ。やりたいことが見つからないのでとりあえず定職につかずアルバイトで暮らしているという人、あるいは、そもそも働く意欲が薄く、就職しようという気もあまりなくて、その日その日を気楽に過ごせればいいと適当にアルバイトをしている人もいるだろう。そういう人たちがフリーターの中核を成している。

わたしが問題にしたいのは、日本社会がどうしてフリーターという言葉を簡単に受け入れてしまったのだろうということだ。フリーターという言葉を受け入れるということは、フリーターという存在を現象として容認するということだ。確かにフリーターと呼ばれる人々は無視できないほど多く存在している。フリーターを容認するというのは、フリーターが多く存在するにも関わらずそのことをあえて無視するという意味ではない。フリーターと呼ばれる人々が存在することを、「しようがないことだ」「今の日本社会の現状では当然のことだ」という風に認めてしまうということである。

＊

わたしはフリーターについて取材を受けるたびに、フリーターには未来はない、と言い続けていた。それは、フリーターと呼ばれる人々を容認したくない、という思いがあったからだ。デンマークの記者の疑問と同じで、わたしは、フリーターと呼ばれる人々の存在がよくわからないし、それをとりあえず前提として容認するメディアのこともよくわからない。たとえば、自分の子どもや親類の子どもが、二十歳を過ぎて、定職にも就かず、やりたいことも別にない、というような状況だったら、どうするだろうか。そんなことではお前には未来はないぞ、と言うのではないか。

百五十万人といわれるフリーターのほとんどは、何をしたらいいのかわからない人々だ。当たり前のことだが、二十五歳のフリーターは、十年後には三十五歳になる。その十年間に何の知識も技術も習得しなければ、能力的に何の向上もないまま三十五歳になってしまうのだ。

容姿が美しい女だったら、ひょっとしたら資産家と結婚して充実した人生を送れるかも知れない。だが大多数の人は、ただ歳をとって、体力や若さや可能性がどんどん失われていくだけだ。

「好きなことが見つかるまでフリーターをやる」

「やりたいことが見つかるまでフリーターでいるつもりだ」

彼らは、社会に出るまでいったい何をしていたのだろうか。彼らの猶予《ゆうよ》期間、つまり学校時代、彼らはどうして好きなことや、やりたいことを探さなかったのだろうか。

わたしは、フリーターを批判しようというわけではない。しつこいようだが、フリーターには未来はない、という一言が、わたしのフリーターへの思いのすべてだ。あるテレビ局から、フリーター特集番組の協力依頼があって、その企画書に、スタジオでフリーターの若者との対話、というのがあった。フリーターをスタジオに集めて、何を話させようというのだろうか。そうやって、当事者をスタジオに集めて討論するのがどうやら最近のメディアの流行だ。

生き方を選べない若者たち…

不登校の問題を考えるときには、実際の不登校児やフリースクールに通う子どもたちをスタジオに集めて話を聞く。極端な場合には、どんな教育を受けたいの？　とまだ小さな子どもに聞く場合もある。

「それで、あなたはどうしたいの？」

というのは、夫婦や恋人のトラブル時の口論の決まり文句の一つだ。

「それでどうしたいの？」

という台詞《せりふ》は、力関係の上位の者しか使えない。確かにナイフを喉に当てられている者が、それでどうしたいの？　とは聞かない。ナイフを喉に押し当てている方は、それでどうしたいの？　命を助けて欲しいの？　と聞くことはできる。恋人同士の口論でも、捨てられたら困る、と思っている側は、それでどうしたいの？　とはなかなか聞けない。別れたい、と言われるのが恐いからだ。

「それで結局お前はどうしたいんだ？」

というのは一種の脅しだ。そういう台詞が発せられるとき、言われる方はたいていどうしていいかわからない状況に置かれている。そういう脅しの台詞を発する方は、本当は相手が何を望んでいるのかを知っている。もっと優しくしてくれとか、浮気を止めてくれとか、もっと子供と一緒に遊んでくれとか、生活費をもっと欲しいとか、そういう希望があるのを知っているのだ。

フリーターをスタジオに集めて、その意見や考えを聞くというのは、「それでどうしたいの？」という脅しに似ている。一見民主的だが、実は番組を作る側の思考放棄だ。フリーターの意見を聞いてどうするのだろうとわたしは思う。

「今は、何となく会社に就職する気が起きなくて。だって、いい企業に就職したとしても、常にリストラの可能性があったり、競争が激しかったりするわけでしょう。そういうのは自分に合わないなって思うんですよね。わりかし海とか好きで、ボードセイリングをしているときは、何て言うんですか、こう、生きているって感じがするんですよね。自然を大事にしたいなとか思えるし」

たとえばそういう意見を聞いて、どうしようというのだろうか。はい、そうですか、わかりました、頑張ってください、とでも言うしかないではないか。

＊

百五十万人のフリーターは、さまざまな原因で誕生した。不況が続いて新卒者の就職先で見つかりにくいこと。若年層の働き口がパートの中高年女性と競合していること。何が何でも一流企業、何が何でも定職・就職という風潮がなくなりつつあること、などだ。しかし、わたしの個人的な見解だが、フリーター大量発生のもっとも大きな要因は、日本の社会が、どう生きればいいのかを子どもや若者に示していないということに尽きると思う。

十年後を考えるとフリーターという状態は不利だ。十年後を考えることが当然のことになっている社会だったら、フリーターは容認されないだろう。理解不能な現象として扱われるだろう。つまり、社会心理学や労働経済学の学者が集まって、その病理を徹底的に研究するだろう。十年後を考えると明らかに不利だということを平気で行う集団は社会的に危険だからだ。今の日本のフリーターも非常に危険だ。彼らの多くはいつかは気づくことになる。三十五歳になって何の知識も技術もない人間は、社会の底辺でこき使われるしか生きる方法はないのだということに気づく。そのことに愕然《がくぜん》として、社会を憎悪する者が今よりも圧倒的に増えるだろう。

彼らは反社会的で犯罪的な組織に吸収されるかも知れないし、そういう組織を作るかも知れない。いずれにしろそういうときに社会は多大なコストを払うことになる。

そういうことははっきりとした事実なので、デンマークの記者は、そもそもどうしてフリーターという人種が存在するのかがわからない、と言ったのだ。どうして日本の社会はフリーターを容認するのか、と不思議に思ったのだ。

フリーターには未来がない、という当たり前の事実を隠そうとする人は、その人自身も未来をイメージすることができないのだろうと思う。

恋愛に勝ち抜くために今、必要なこと

わたしが編集長を務めるＪＭＭというメールマガジンで、専門家を集め、フリーターに関する座談会を行った。しかし、座談会という言葉だが、どうも緊張感がない。旅館でこたつに入って、世間話をしているような感じがある。「討論」や「議論」だと、考え方を異にするどうしが意見を戦わすというニュアンスがある。「会議」にも、非常に堅苦しい響きがある。ＪＭＭの座談会は、ブレーンストーミングに近いのだが、翻訳がない。

いい言葉がないので、座談会ということにするが、フリーターの座談会の参加者は、リクルートワークス研究所の所長、雇用経済学者、労働省・日本労働研究機構の研究者、そして元フリーターで現在はＮＰＯの主宰者という、考えられる限りベストのメンバーだった。その座談会で、わたしはいろいろなことを知ったし、教えられることも多かった。そして、座談会ではっきりしたことが一つある。

それは、フリーターと呼ばれている若者たちをフリーターという言葉で一括《ひとくく》りにしてはいけない、ということだった。

コンビニやガソリンスタンド、それに夏のマリンリゾートや冬のスキーリゾートなど、フリーターなしでは成立しない企業や産業がある。フリーターの中には、日本経済を支えている人たちが大勢いるということになる。しかし、フリーターになりたくないのにフリーターにしかなれない高卒者も大勢いるし、フリーターという都合のいいカテゴリーに逃げ込む若者も大勢いる。フリーター状態の若者を、フリーターという言葉で一括りにしてはいけないのだ。

＊

しかし、考えてみれば本当に奇妙だ。さまざまな集団を、一つのカテゴリーとして一括りにできないという事態が進行しているのに、メディアは相変わらず一括りにして記事や特集や番組を作っている。メディアだけの責任ではないのかも知れない。フリーターという言葉が流通したのは、それが便利で、好都合だったからだ。

しかし、誰にとって好都合だったのだろうか。モチベーションを持って、コンビニやガソリンスタンドで働く若者や、マリンリゾートやスキーリゾートで働く若者は、フリーターという言葉はどうでもいいはずだ。充実感を持って働いている人は、自分のカテゴリーには無関心だからだ。わたしは、作家と呼ばれようが、著述業と呼ばれようが、自由業と呼ばれようがまったく構わない。

「みんな一緒」ではいられない

フリーターという言葉を必要としたのは、フリーターという言葉に逃げ込もうとした若者たちだと思う。プータローやアルバイト、あるいは無職という言葉では都合が悪かった人たちが、フリーターという言葉を広く流通させた。それを助けたのはもちろん既成のマスメディアだ。

わたしは、フリーターの若者に興味があるわけではないし、気にかけているわけでもない。フリーターという言葉が、今の日本の社会が抱える重大な問題を象徴しているのではないか、そう思っている。

＊

定職に就かない若者は多様化している。フリーターという言葉ではとても一括りにはできない。だが、メディアはフリーターという言葉を流通させてしまったし、フリーターという言葉はわたしたちの社会に定着してしまった。社会に定着したといっても、わたしたちすべてがそれを望んだわけではない。フリーターという言葉があれば好都合だと思う人たちが、望んだのだ。

今の日本社会には、多様化という事実を認めたくない人たちがいて、その人たちがフリーターという言葉を流通させ、定着させる。フリーターという言葉を必要としない人たちは、そういったことはどうでもいいことだと考えていて、特に発言をしないので、自然にフリーターという言葉は定着する。

同じような構図は、今の日本社会にたくさんある。十年ほど前までは、日本は均一的な繁栄の中にあった。バブル以後それが崩れつつあって、そういう実感は「勝ち組」「負け組」というマスメディアの造語に表れている。だが、勝っている人や負けている人はいても、勝っている「組」や、負けている「組」はない。人々は何とかして「勝ち組」に入ろうとしているようだが、市場で評価される専門的スキル（技術）と知識があれば、別に「勝ち組」に入る必要はない。

みんな一緒、という一体感が失われているので、みんな一緒という一体感だけを支えにして生きてきた人たちは、戸惑い、強い不安を抱いている。そういう人たちはものすごく大勢いる。だからそういう人たちが、一時的に、あるいは欺瞞《ぎまん》的《てき》に安心できるような、集団を一括りにする言葉はあっという間に定着する。

とっくに死語となっているのに、マスメディアが使い続ける言葉もある。若者、主婦、労働者、女子高生、サラリーマン、中高年、大学生、ＯＬなどは、カテゴリーを表す言葉として機能していない。つまり「最近の若者は」という主語は、若者が多様化してしまったためにほとんど機能していないが、それでもマスメディアは使い続けている。

＊

そういった言葉はなくならないだろうとわたしは思う。需要があるものは、商品だろうが言葉だろうが決してなくならない。ＯＬという言葉で括ることができる集団はすでに存在しない。地方の信用金庫の高卒の事務員もＯＬだし、ＭＢＡを持つ外資系銀行のファンドマネージャーもＯＬだが、女性だという以外に、両者にはほとんど共通点がない。だが、彼女たちは同じくＯＬとして括られてしまう。

日本人は、という主語はもう機能していない。わたしはそのことを何度もエッセイに書いた。たとえば、「二十一世紀、日本人はどう生きるべきか」などという問いにはまったく意味がない。何の技術も知識もない二十六歳のフリーターと、英語とフランス語ができる分子生物学専攻の二十六歳の大学院生は、同じく「日本人」だが、どう生きるべきか、という問いの回答はまったく違うものになるはずだ。

主語として機能していないのに、マスメディアがそういう表現を止めないのは、需要があるからだろう。サラリーマンという集団に属していたい、と思う男たちが大勢いるから、サラリーマンという言葉は意味を失っているにもかかわらず死語にはならない。

社会からダマされるということ

新聞などで「構造改革」という言葉を目にすることがあるのではないだろうか。構造改革とはいったい何を意味するのか、わかりにくい。それは、直接的に表現すると、衰退企業を潰《つぶ》す、ということになる。現在の日本には、そごうや熊谷組やダイエーのような、倒産したり、倒産しかかっている企業が山のように存在する。それらの企業はほとんど利益を出していないし、今のままでは今後も利益が出ることはない。ものすごい負債を抱えてしまっているので、いくら稼いでも利益が出ないのだ。これまで、銀行に公的資金・税金を、注ぎ込むことで、それらの企業を助けてきたが、もうそんなことはしない、というのが構造改革で、資金や資本、それに労働力の流れを、国が管理するのではなく、市場にまかせるということになる。

その結果、倒産が増え、当然失業者も増える。だが、利益が出ない企業が潰れて、資本や労働力が、利益が出る企業に向かうので、経済は活性化する。それが、構造改革だ。産業構造、社会構造を変えてしまう、ということなのだが、マスメディアはそんなことは言わない。

国民のみなさんのために構造改革を断行して、などと政治家は言うが、勤めている会社が倒産して失業してしまう人々も国民だということをごまかしている。

もっとも重要な問題は、日本という国家にはもう資金がない、ということだ。巨額の財政赤字が意味するのは、そういうことで、そういうときには、国や政治家に期待してはいけない。国が政策を間違うとか、悪い政治家が多いとか、そういうことではなくて、国や政治家にできることがほとんど何もないからだ。

国や政治家に期待すると、ろくなことがない。そして、無知な人はだまされる。フリーターという言葉にだまされている人はおそらく二百万人以上いるだろう。社会からだまされている状態の人間は、恋愛するのも無理だ。

恋愛ができる人間の資格とは

アメリカの同時多発テロのニュースを聞いたとき、イタリアのパルマにいた。友人から携帯に電話がかかってきてテロのことを知ったのだが、そのときわたしは、ボローニャへの半日小旅行から帰ってきたばかりで、パルマのマーケットでパルメジャーノチーズとクラッテロという生ハムを買おうとしていた。ボローニャでは、昔F1の取材のときに訪れた「ディアナ」という懐かしいレストランに行き、名物の肉のスープ煮を食べ、エミリアノ・ロマーナ州のワイン「サンジョベーゼ」を飲んだ。

テロのニュースを聞いたとき、まず最初に考えたのは、無事に日本に帰れるだろうかということだった。すぐにミラノの友人に電話をして、ヨーロッパ・日本便が飛んでいるかどうかを確かめた。その次に、NYにいる友人たちの安否を電話とメールで確かめた。その次に、日本のことを考えた。

世界同時不況の中、日本は構造改革を進めている。なんで恋愛エッセイで経済の話ばっかり、と思われているかも知れないが、とにかくこのエッセイでも構造改革について書き続けてきた。それは、読者のみなさんに経済に強くなってもらおうと思っているからではない。今、日本政府が進めようとしている構造改革というのは、日本の文化や風土、それに基本的な考え方や、人間関係のあり方にまで影響を及ぼすと思っているからだ。

それでは構造改革と恋愛はどういう関係があるのか、試しに考えてみよう。恋愛にはお金が必要だし、結婚をして、家庭を持つとさらにお金が必要になる。お金がないとおいしいイタリアンはもちろん居酒屋にも行けないし、ラブホテルにもディズニーランドにも行けない。お金がないと、おしゃれな洋服も、自分を磨く化粧品も、エッチな下着も買えない。

わたしの両親の世代はパチンコと映画しか娯楽がなかったらしくて、デートにもあまりお金がかからなかったようだが、今は違う。彼氏の住まいに行くにも最低電車賃がいるだろう。もっともお金がかからないデートは、お弁当を持って近所の公園に行くことだろうが、それでも戦時中ではないのだから、おにぎりと梅干しだけというわけにはいかないだろう。

要するに恋愛にはお金がかかる。そのお金をどこでゲットするか。銀行強盗でもしない限り、自分で稼ぐしかない。親の金で恋愛費用をまかなう人は恋愛をする資格がない。そういう恋愛は親に反対されたらそれでもう終わりだ。したがって、先進国の自立した恋人たちは自分で恋愛費用を稼ぐしかないのだ。

どうやって稼ぐのか？　ほとんどの人は会社からお給料をもらう。男は会社からもらうサラリーで人生と家族を支えなければならない。これまでの日本では、会社に入ればほぼ一生面倒を見てもらうことができた。終身雇用と護送船団方式がそれを保証した。だから、これまでは結局いい会社に入るために子どもの頃から、お勉強をしてきたわけだ。

構造改革が進むと、終身雇用という原則はほとんど消失してしまう。会社はあなたを守ってくれない。業績が悪いといつリストラされるかわからないという世の中になる。あなたも、あなたの彼氏もいつ解雇されるかわからないという時代になる。「わたしの彼は一流商社に勤めているの」「あら。わたしの彼は一流銀行よ」

というような会話は、ばかばかしくてできなくなるのだ。

＊

つまり構造改革という経済システムの大きな変化は、恋愛とか結婚という個人のプライベートライフに大きな影響を与える。ところでその構造改革というものは、どうして必要だと言われているのだろうか。簡単に言えば、戦後の復興や高度成長時の経済システムを日本はいまだに抱えていて、それが冷戦後の世界の経済システムにフィットしなくなってしまったから変えましょうということだ。

冷戦後、世界のマーケットは一つになった。また情報通信技術の飛躍的な進歩によって、マーケットは瞬時にして世界的に結ばれるようになってしまった。そういう中で、古いシステムが温存されている日本は「仲間はずれ」になりそうになっている。冷戦後の世界経済の変化に何とか日本を適応しようという試みが、構造改革なのだ。

しかし今回のテロは、その冷戦後の世界経済の枠組みにさらに変化を迫るだろう。つまり日本は必死に適応しようとしてきた世界経済システムが、また再び大きく変わる可能性が出てきたわけだ。日本はそういう大変化の世界情勢に適応できるのだろうかと、イタリアでわたしは考えたのだった。

世界中で拡がっている経済格差

冷戦後の経済システム、などと言えばむずかしい感じがするが、要するにそれはITと呼ばれる情報技術に支えられた金融を中心とする新しい資本主義だった。その中で一人勝ちしたのはアメリカだったが、実はアメリカ国内では激しく貧富の差が拡大した。人口の四パーセントの人々が、残りの九六パーセントの所得と同じ額を手に入れていると言われていた。その経済格差がアメリカ国内であまり問題にならなかったのは、繁栄の分け前が広く低所得者層にも分け与えられたからだ。

好景気が続いたので、貧しい人々も仕事に就くことができたし、給料も上がり、その資金で株式などに投資することもできた。だがアメリカの繁栄はIT株の暴落で一挙にしぼんでしまった。日本やアジアの国々は、景気のいいアメリカへの輸出で一息ついていたのだが、それも不可能になった。日本の景気が一気に下降していったのは大まかに言えばそういうことだった。

アメリカの国内で経済格差が大きくなったように、世界的にも北の豊かな国と南の貧しい国の格差が大きくなった。社会主義が消え、自由経済が世界を覆い尽くしたこともあって、合理性が追求されるようになり、競争力のないアフリカやアジア、旧共産圏、中南米などの国々にはお金が入ってこなくなったのだ。

今回のテロはワールドトレードセンターが標的となった。世界貿易センタービルは南の貧しい国々の人々にとっては憎しみと恨みのシンボルだっただろう。もちろんだからと言って旅客機で突っ込むのは言語道断の行為だが、テロ実行犯にとってはアメリカだけではなく冷戦後の世界経済そのものへの挑戦と断罪でもあったのかも知れない。

人間が冒険できなくなる時代

今後、世界はどうなるのだろうか。またわたしたち日本人はどうするべきなのだろうか。

正直に言って、わたしにはわからない。いろいろな人がいろいろなことを発言しているようだが、わたしは今後のことがまったく予測がつかない。

ただ一つ確かなことは、将来の不透明感が高まったということだけだ。つまり、これまでも世界がどうなるのか予測するのがむずかしかったわけだが、これからはそれがもっとむずかしくなるということだ。将来の不透明感が強まれば、人間は冒険をしなくなる。もっともわかりやすいのは、何が起こるかわからないのでニューヨークに行くのを止めよう、というように行動を控えがちになるということだ。全世界的にそういった行動の自重と縮小が起これば、まず投資が減る。投資が減れば、生産も消費も減ってしまう。

今回のテロと、予想されるアメリカの軍事報復で、間違いなく世界はより不安定になる。将来がより不透明になるだけではなく、不安定になると、安定とか安全といったことが当たり前ではなくなり、それをお金で買わなければいけなくなるかも知れない。

日本はあまりテロに慣れていないのでわかりにくいかも知れないが、テロは本当に恐ろしくてやっかいだ。たとえば今のアメリカだったら、「お宅の銀行に爆弾を仕掛けた」というようないたずら電話一本でその銀行から退避しなければならない。ブロードウェーの劇場や映画館で爆破テロが行われたら、ミュージカルや映画を見に行く人が激減するだろう。だがすべての劇場や映画館に警察や軍を常時配置するわけにはいかない。

テロ実行犯がハリウッドの映画だけを狙い撃ちにしてテロをしたらどうなるだろうか。ハリウッド映画を見に行く人は減ってしまい、今のようには映画が作れなくなるかも知れない。爆弾ではなく、サリンのような化学兵器や生物兵器が使用されたら、被害はさらに大きくなる。

それではどうすればテロを完全に止めさせることができるのだろうか。残念ながらわたしにはその方法はわからない。

「こういう世の中」だから「こういう恋愛」

海外出張・旅行をキャンセルする友人たちが増えている。フランクフルトのブックフェアに行くのをとり止めたとか、ロンドンに映画の買い付けに行くのを止めたとか、音楽祭をキャンセルしたとか、ある契約をまとめようとしたがロスに行くのがいやなので契約をとり止めとか、そういう話ばかり聞こえてくる。もちろんテロの影響だ。

わたしも、しばらくアメリカには行きたくない。テロが恐いというより、セキュリティチェックが極端に厳重になっているので、それがうっとうしいし、面倒くさいのだ。テロが国際的な人の移動を窮屈にした。移動が窮屈になってしまったのは、人だけではない。お金も同じだ。投資家たちがアメリカから資金を引き揚げ始めているという話を聞いた。実際にウォール街からはテロのあと巨額のマネーが引き揚げられた。

炭疽菌《たんそ》が大問題になっているが、今のところ使われているのは郵便だ。アメリカの郵便システムはパニックになっていることだろう。ＤＨＬやＦＤＸが利用され始めると、さらに物流に大きな影響が出る。つまり、テロは人とモノと金の流れを非常に窮屈にしてしまった。現代の経済システムは人とモノと金の自由な移動を前提にしているが、それが脅かされているということになる。世界経済は縮小へと向かうかも知れない。世界経済の縮小傾向はわたしたちの生活にも影響を及ぼすだろう。

海外旅行は楽しいが面倒でもある。わたしは生まれてから一度も団体旅行をしたことがない。旅行のスケジュールプランを作り、チケットを購入し、一人で飛行機に乗り、ホテルにチェックインし、レストランの予約を取り、レンタカーを借りたり、リモを雇ったり、列車に乗ったりしてその国の国内を移動する。全部一人で決めるのは充実感もあるが大変で面倒くさい。

わたしは面倒くさいことは本質的に嫌いだが、キューバ音楽やセリエAは日本の外にあるので、しようがないなあと思いながらいつも飛行機に乗っているのだ。移動がさらに面倒になればわたしは海外旅行を止めるだろうと思う。京都にでも行って寺を見ながらおいしい懐石料理でも食べたほうがいいと思うかも知れない。要するに視線が内向きになってしまうのだ。

日本政府にしても、内向きな視線をベースにしたシステムを何とかして変化させようと構造改革に取り組んできた。テレビドラマとしてオンエアされた『最後の家族』という物語には引きこもりが重要なファクターとなっている。わたしは作品のための取材と執筆を通して、社会的引きこもりというのは象徴的だと思った。現代日本を象徴しているような気がしたのだ。

自分は一体何がしたいのか

自室に引きこもることが引きこもりなら、小説家だって似たようなものだ。ごく一般的な引きこもりと小説家の違いは、小説を書いているかどうかだけだ。自室に閉じこもって仕事をする人の数はＰＣの普及で飛躍的に増えている。昔はコンピュータで全部音を作ってしまう音楽家など想像もできなかったし、コンピュータで絵を描く画家もいなかったし、映画の編集作業を自分の部屋でやる監督もいなかった。そういった流れはこれからも主流であり続けるはずだ。

そう考えると、引きこもりというのは自室で何をやればいいのかわからない人々だという言い方も可能かも知れない。自室に閉じこもっていても、仕事をして収入を得ている場合は引きこもりとは言わない。自分は何をすればいいのかわからない、自分は何がしたいのかわからない、ほとんどの引きこもりはそう思っているのではないだろうか。

そう思っているのは引きこもりだけだろうか。二百万人とも三百万人とも言われているフリーターの中にもそう思っている人が大勢いるのではないだろうか。

中央線のホームに佇むおとうさんたちはどうだろうか。ホームレスはどうだろうか。何かやりたいことや、やるべきことがあるのに、自殺を考えたり、ホームレスになってしまう人がいるだろうか。

大量の不良債権を抱える銀行はどうだろうか。これからの銀行はどういうビジネスを展開していけばいいのか、これからの銀行はどういう金融戦略を持つべきか、果たしてわかっているだろうか。衰退業種と言われる業態や企業はどうだろう。今後公共事業が削減されていくわけだが、どうやって生き残りを図るか建設業界は答えを見いだしているのだろうか。不動産業界はどうだろう。建物や家にどういう付加価値をつければより売れるようになるか、わかっているのだろうか。流通だとたとえば百貨店はどうだろうか。このさき何を売れば売り上げが伸びるのか、きちんと把握できているのだろうか。

学校や教育者はどうだろう。どういう教育をすれば子どもたちのモチベーションを高められるかわかっているだろうか。子どもたちにどういう大人になって欲しいのか、そのためにはどういう指導をすればいいのかわかっているだろうか。政治家や官僚はどうだろう。この先どのような産業形態が望ましいのか、わかっているのだろうか。

もてない人間が喜ぶ世の中

「自分は何をすればいいのかわからない」
「自分は何がしたいのかわからない」
「何を売ればいいのかわからない」
「何を作ればいいのかわからない」
「何を目指せばいいのかわからない」
「何にお金を使えばいいのかわからない」

そういった状況が日本全体を被《おお》っているような気がする。だから引きこもりは象徴的なのだ。自分がやりたいことを探す、という行為は外の社会と触れ合うことが前提になる。当たり前のことだが、視線を外に向けないと、何かを探すことはできない。自分がやりたいことは自分の中にはない。自分がやりたい対象、自分が好きな対象は自分の外側にしかない。

そういった外への視線、外へ向かう意志が今回のテロの影響で縮小してしまうのではないかという懸念がある。たとえば日本の大学教育の見直しが論議されているが、日本の大学システムをどう変えるかというのが論点になっている。だが、大学教育を考えるときに重要なのは、いかにして日本の若い人を海外の大学に送りだし、いかにして海外の優秀な若者を日本の大学に集めるかということだ。そういった人材の交流が進まないと日本の大学は絶対に活性化しない。

だが、テロのあとの世界はそういう流れを逆行させてしまうかも知れない。アメリカ留学を断念する若い人が増えるかも知れないし、アメリカへの投資を控える人も増えるかも知れない。こういうときは何もしないで家にいるのが一番、ということになってしまうかも知れないのだ。

そうなれば日本の守旧派は息を吹き返すだろう。すでに、テロによって経済のグローバリズムは終わった、などと平気で、しかもうれしそうに話すおじさんたちが増え始めている。グローバリズムなど一度も経験したことがない人に限ってそういうことを言い始める。

テロや戦争のもっとも恐いところは、そういった経済と精神と文化の縮小傾向を生むということだ。

「こういう世の中なんだから何をしたって同じだ」

「こういう世の中なんだから、自分の好きなことを探すなんてばかげている」

「こういう世の中なんだから、ただ生きているだけで充分だ。部屋で漫画でも読んで、音楽を聴いて、テレビを見て、それが幸福というものだ」

アメリカの軍事報復とテロが共に拡大すれば、きっとそういうムードが生まれる。象徴としての引きこもり状態が加速されるわけだが、わたしはそういうムードに押し流されたくないと思う。その方法は、やはり自分が充実感を得ることのできる対象を見つけ、世界の、また日本の趨勢《すうせい》とは無関係に自分のことをやり続けるしかない。

「こういう世の中なんだから、恋愛なんかしている場合ではない」

みたいな風潮になれば、もてない人間たちは大喜びするだろう。もてない人間たちは、恋愛どころではないという世の中になって欲しいのだ。戦争を推進するのはもてない人たちなのではないかと思うこともある。

きちんと「自立する」というのはむずかしい

この原稿が活字になるころには、『最後の家族』という連ドラは終わっている。二〇〇一年後半は、このドラマの原作小説を書き下ろして、そのあとはずっと脚本を書いた。この作品のテーマは家族だ。家族の一人一人の自立が重要だというメッセージを伝えたかったのだが、それが成功したかどうか、わたしにはわからない。簡単に伝わるテーマではないし、個人とか自己責任と同じように、自立もしょっちゅう目にする言葉であるにも関わらず、その概念が社会に浸透していない。

著者インタビューなどでも、「わかりました。家族みんなの幸福のためにも家族の一人一人の自立が必要だというわけですね」と、一見理解したような返事がすぐに返ってくる。だがインタビュー原稿を読んでみてインタビュアーがまったく理解していなかったというようなケースも少なくなかった。自立を理解するとはどういうことなのだろうか。

まず多いのは、自立というのは望みさえすればそれはすぐに可能になる、という誤解だ。

そうしたいと思えば明日からでも自立できるというような誤解が多い。いったい自立とはどういう状態をいうのだろうか。たとえば、企業に勤めている人はどんな人でもみな自立していると言えるのだろうか。

『最後の家族』では父親がリストラに遭う。四十九歳のおとうさんはハローワークに通うがなかなか再就職ができない。

「前の会社ではどういったお仕事をされていたんですか」

「次長でした」

「わたしは仕事を聞いているんですよ。次長というのは仕事じゃないでしょう」

再就職支援センターとおとうさんのそういったやりとりがある。

＊

リストラされて、再就職先が見つからない人は自立しているといえるだろうか。あるいは、自立に関して、半年前までは自立していたんです、という言い方は可能なのだろうか。「自分一人で生活できる能力を持つこと」が自立だと仮定すると、リストラされたとたんに生活の基盤を失ってしまう人は果たして自立していると言えるだろうか。

逆に、まったく収入のない専業主婦で、いつでも働ける技術を持っている人はどうだろう。医者や看護婦、弁護士などの資格を持っている人、プロとして絵を描いたりピアノを弾いたりできる女性はどうだろうか。離婚しても、贅沢《ぜいたく》さえしなければ、あるいは高い報酬を望まなければ、彼女たちは何とか一人で生きていけるのではないだろうか。

特別な技術がなくても、料亭や旅館の仲居さん、パチンコ店の店員、ファーストフードのウェイトレスやスーパーのレジなど、女性でも何とか生きていくための方法はいくらでもある。だから、プロとしてのスキルが別になくてもいくらでも自立の道はあるということになるのだろうか。

生きていくためのスキル

こうやってこのエッセイを書いているわたしは自立しているだろうか。わたしは一人で原稿を書いて収入を得ているのでリストラされることはない。この先も、よほどのことがない限り、原稿依頼がまったくなくなることはないだろう。だが状況が激変すればどうだろう。たとえば日本にタリバンやナチスのような極端な独裁政権が誕生してしまったというような場合だ。わたしの作品は弾圧され、発表の場を奪われてしまう。思想犯として逮捕されてしまうかもしれない。

そういうときにわたしは亡命を考えるかも知れない。わたしの作品は東アジアとフランスで翻訳されている。自分はたとえばフランスで一人で生きていけるだろうか、とそういうことをよく考える。五十歳になって外国で生きていくのはきっと大変だろう。フランス語で小説を書くことはできないから翻訳してもらわなければならないし、言葉も覚えなければならない。だが殺されるよりはいいから、わたしはきっとフランスへ逃げるかも知れないが、おそらく生活レベルは大きく下がるだろう。

逆に、海外から大量の移民が日本に流入してきて、どんなに低賃金でもいいから仕事が欲しいと彼らが望み、雇用の規制がなくなったらどうなるだろうか。現在のヨーロッパなどではすでにそういった現象が起こっているが、空港や駅の清掃員とか、タクシーの運転手とか、レストランのボーイとか、ホテルのメイドとかランドリーサービスとか、そういった非熟練労働は、おもに低賃金で働く移民が引き受けるようになる。そうなったら多くの日本人が彼らと仕事を競合するようになるだろう。自立の道が狭められるわけだ。

＊

自立には、自分が置かれている状況が影響する。あなたが親密性のある共同体に所属している場合と、移民や亡命者として外国にいる場合とでは自立の概念や条件が大きく変わるが、いずれにしろ自立には仕事・職業が関係している。

自立を定義すると、他人の助けや支配を受けずに一人で生きていけるようになること、ということになる。それは本来非常にむずかしいが、望みさえすれば明日からでも自立が可能だというような誤解が生じているのはどうしてなのだろうか。それはこれまでわたしたちの社会が親密で互助的だったからではないかと思う。

このエッセイでも何度か触れたが、これまでわたしたちの社会には「世間」というものがあった。それは信じがたいことに、「世間様」というように様をつけて呼ばれることもあった。「世間様に申し訳が立たない」という風に使う。世間の目、というような言い方もあった。世間の目があるのにそんな恥ずかしいことをして、という風に使われていた。つまり世間には監視機構やチェック機構もあったということになる。

どうして世間にそういった権限があったのか。世間は、結婚相手や住まいの紹介や、就職の世話、隣人の看病や老人の介護、冠婚葬祭の手助けなどという機能を持っていた。就職、結婚、住まい、出産、看病、介護、葬儀など、考えてみれば、人生で必要なことのほとんどを世間に頼ることができたのだ。

わたしがまだ子どもの頃、たとえば親戚のおじさんが会社をクビになると、近所の知り合いが、うちの知人の八百屋でしばらく働いたら、みたいな感じでとりあえずの再就職が決まったりしていた。また、適齢期になっても結婚しない人がいると、近所のおばさんの中に世話好きがいて、写真を山のように持ってきて結婚相手を紹介していたのだ。当時は結婚相手を紹介して金を儲けようとする会社なんかなかったし、人材派遣会社もなかったし、不動産情報も少なかった。

　不動産情報や就職情報や結婚相手の紹介ビジネスが増えてきたのは、世間が消失していったからだ。そして、それほど強力な力を持った世間があった時代には、もちろん個人の自立など求められてはいなかった。戦後すぐの頃は何とか生き延びるだけで精一杯だったし、高度成長の頃は豊かになるだけで精一杯だった。生き延びるために、また豊かになるために、日本人はお互いに助け合うことを必要としたわけで、それが世間の機能に結びついていた。

世間がなくなり、格差が生まれた

　今、世間はどこにもない。いまだ世間が残っていそうな地方でも、人口そのものが減ってしまっているので世間は機能しようがない。これまで世間は、各個人や家族と、就職や結婚や介護というような社会的厚生や福祉のアレンジを担当してきたのだった。

　世間がなくなったために、わたしたちはお金を出さないと世間が担当してきたサービスを受けることができなくなった。不動産情報誌や派遣会社に金を払い、結婚相談に金を払わなければならなくなった。自立の必要性が言われ始めたのは、世間の消失と無関係ではないと思う。

わたしたちは、心構えとして自立しなくてはいけないわけではない。自立できない人どうしがかつてお互いに助け合っていた世間というシステムがもうないので、単に自立できない人は非常に不利になるというだけのことだ。ただし、そういった社会的アナウンスメントは少ない。世間が消失したということは、日本の社会に格差が生まれ、国民の一体感が消えつつあり、バラバラになっていくことを意味しているが、マスコミはいまだにそういった変化を伝える文脈を持っていない。

したがって、自立の必要性が叫ばれている割には、自立のむずかしさが伝わりにくいのだと思う。

あなたにしか売れないものがある

昨年二〇〇一年の後半は『最後の家族』という作品を書き上げ、テレビドラマ化してその脚本を書いて、終わった。その他にもいろいろな仕事をしたが、もっとも印象に残るのはやはり『最後の家族』だ。『eメールの達人になる』というメールの書き方のアドバイス本も書いた。その二つは、かなり多数のメディアに取り上げられて、いくつもインタビューを受けた。話したのは、自立、そしてコミュニケーションのスキルといったようなことだった。自立とコミュニケーションスキルというのは、このエッセイでもよく取り上げるテーマだ。

前項でも、自立という言葉が氾濫《はんらん》している割にはその概念というか定義が曖昧だというようなことを書いた。実はついさっきまで、自立に関するインタビューを三本受けていたのだが、ほとほと疲れた。別に自立というテーマではなくてもインタビューは疲れるものだ。『KYOKO』という作品を書いたあとは「最優先事項」について多く語り、『ヒュウガ・ウイルス』という作品のあとは「危機感」について多く語り、『希望の国のエクソダス』という作品のあとは「希望」という言葉をキーワードにしてインタビューに答えた。

たくさん小説を書いているんですよと自慢したいわけではない。「最優先事項」「危機感」「希望」そして「自立」、そういった言葉が一人歩きしてしまって、その概念がなかなか伝わらないのはなぜだろうと思っただけだ。本当に、もういやになるくらい伝わらない。まるでインタビューで伝わりにくいテーマばかりを選んで小説を書いているような気がする。

さっきまでのインタビューの中で、「村上さんはご自分で自立していると思われますか」と聞かれた。そう聞かれて、気づくことがあった。わたしは自分が自立しているかどうか考えたことがない、ということだ。そんなことは生まれてから一度も考えたことがない。考えてみれば、『最後の家族』という小説にも、自立という言葉はほとんど出てこない。

「ぼくは自立しようと思うんだ」

そんな台詞は一切ない。それなのに、『最後の家族』を巡るインタビューでは繰り返し自立について質問を受けるのだ。

「このままではいけないから、よし、この際、自立しよう」

そういう決意はどこかおかしい。自立しようという決意で、人は何をするのだろうか。

本当に自立を目指す人は、これから自立するぞ、などと決意しないのではないだろうか。

スタンダードからはずれてみる

それに、本当に自立している人は、自分が自立しているのかどうか考えたりしないような気がする。

「希望」というキーワードにも似た部分がある。つまり希望を持って生きている人は自分が希望を持っているかどうかなんて考えないのではないか。

繰り返すが、わたしは生まれてから一度も自立について考えたことがない。じゃあ何について考えたかというと、どうやって食べていくか、ということだった。要するに、どういう仕事で生活の糧を得ていくかということだったのだ。

このエッセイでも何度か書いたが、わたしは幼い頃から、お前はサラリーマンにはなれない、と言われて育った。幼稚園の頃から、親や先生や近所の人たちにそう言われ続けた。高校三年生のときの担任はすばらしい教師だったが、彼も次のように言ったものだ。

「村上、ぼくは、お前が日本の社会でどうやって生活していくのか、まったくわからんよ」

まだ就職してないんだしわかるわけないじゃないか、と思ったが、この社会の常識としては、その人が将来どうやって生活していくのかだいたいわかるらしいのだ。つまり、男は企業か官庁に勤め、女はその妻になる。それが人生のスタンダードだった。お前はサラリーマンにはなれない、という宣告は、かなり厳しいものだ。なぜならそれは、日本社会における人平のスタンダードから外れて生きなくてはいけないという意味に等しいからだ。

中学生の頃、わたしは医者になろうと思った。医学に興味があったというより、医者になれば食いっぱぐれがないと思ったのだ。以来、常に、どうやって食っていくか、というのがわたしの人生のテーマとなった。高校三年生になったばかりの頃までは、わたしは国公立大医学部受験クラスにいた。しかし、成績は急降下しつつあった。医者になるためには大学の医学部に進学する必要があり、わたしの実家は私立の医大に大金を積んで入学させるような経済力がなかったので、国立か公立を目指すしかなかった。今も昔も国公立の医学部の入試は基本的に易しくない。

＊

しかもわたしが高校生の頃は、全共闘運動というものがあって、受験勉強する高校生は体制の犬だ、というような風潮があったのだった。わたしはまったく勉強をしなくなり、当然成績はさらに降下して、途中で長期の謹慎処分を受けたりして、医学部を受けると言ったら教師が笑い出してしまうような状況になったのだった。

わたしは医学部受験をあきらめた。そして美大を受けることにした。でも画家になりたかったわけではなかった。絵を描くことは嫌いではなかったので、絵を売るとか、デザイナーになるとかして生活の糧を得ようと思ったのだ。京都の美大を受けたが、落ちて、東京で浪人生活を続けるうちに、勉強のべの字もしなくなり、美大だろうが何だろうが、大学なんてどこにも行けないような状況になった。

人生の戦略をたてる手がかり

そういった状況になっても、「お前はサラリーマンにはなれない」という宣告はわたしの中で生きていた。サラリーマン以外の職業で生きる道を探さなければならなかった。「生きる道」などと言うと品がいいが、要するに生活のための金を得る方法ということだ。米軍基地の街でこれ以上はないというような自堕落な生活を二年間送り、それでも何とか私立の美大に潜り込んだが、まったく学校に行かなかったので、卒業できる見込みはゼロだった。

そういった考えられる限り最低の状況でも、わたしは、人生の選択肢からサラリーマンを除外していた。勤め人になる気はなかった。それは、お前はサラリーマンにはなれないという幼い頃の宣告の影響もあったが、それより、誰かの指示に従うことに自分がとこととん向いていないと知っていたからだと思う。わたしはすぐにイメージすることができた。誰かの指示を受け、それを拒否してあっという間に解雇になるとか、あるいは我慢しながら指示に従うという行為を無理に続けてノイローゼになるといった自分を容易にイメージすることができた。だから、会社勤めは絶対に無理だと思ったのだ。

そういうわけで、わたしは小説家になるしかなかった。残った選択肢がそれしかなかったからだ。レストランのメニューから料理を選ぶようにして、数ある職業の中から小説家を選んだわけではない。本当に小説を書くしか生きる道はないと思った。しかし、どんな状況になっても、よし自立しようなどとは一度も思わなかった。自立などという言葉は呟《つぶや》いたこともない。わたしが考えたのは、何によって生活のための金を稼ぐかということだけだった。

だから、自立しようと思います、みたいな台詞には違和感がある。自立しなければいけない、などと決心するのはちょっとおかしいのではないか。何によって金を稼ぐか、ということを考えるべきではないかと思う。それでは主婦はどうするのか、と言われるかも知れない。主婦は、離婚をイメージすればいい。離婚しても何とか食べていける何かを持っているか、ということを考えればいいと思う。

いっそのこと子どもや若い人は将来の職業を考えるときに、サラリーマンとOL、つまり会社勤めという選択肢を除外して考えてみてはどうだろう。

「一人で事業を興すとしたら、自分はいったい何ができるだろうか。何に興味があるのだろうか」

「一人で何かを売っていくとしたら、自分は何を売ればいいのだろうか。何か売るものを持っているだろうか」

そういう風に考えてみる。そして自分が興味があること、自分に向いていることをある程度把握したあとで、就職について考えても遅くはない。入社すれば一生安泰という考え方が幻想と化した現在でも、たとえば大学生などには、まず「安定した会社への就職」が前提となっているような気がする。サラリーマンとOLを人生の選択肢からまず除外すること、人生の戦略を立てる上でそれは案外有効ではないだろうか。

彼の「本当」を知る唯一の方法

前項にも自立のことを書いた。自立、あるときは「個の自立」などと言われる。「自己責任」などと共に新聞や雑誌などでもしょっちゅう目にするようになった。だが、自立という概念が共通理解として定着しているとはとても思えない。

「自立って言いますが、この不況でせちがらい世の中で、家族だけが安らぎを得る最後のよりどころではないのでしょうか」

「自立しようと、精一杯努力してきたんですけど、どうしても甘える女性のほうが可愛いんじゃないかって思えてしまうんです。だから、仕事よりも、彼との関係を大切に考えようと思うんですが間違っているんでしょうか」

そういった意見をよく聞く。そのたびにいったいどうしてそういう考え方になってしまうのだろうと思う。安らぎを得る最後のよりどころが家族ではないかという問いかけはまったく間違っていない。だが、そのことと、家族の一人一人が自立することとは矛盾も対立もしない。わたしたちは、恋人や夫婦や親子、それに家族という最小の共同体から単に離れることで自立するわけではない。自立するというのは単に家を出ることではないし、単に家族から切り離されることでもない。

集団や群れや共同体から切り離されるのが自立だという先入観があるのはどうしてなのだろうか。自立した者どうしが、恋人や夫婦や親子や家族を構成するという考え方が少ないのはなぜなのだろうか。おそらく日本の社会では、まず集団があって、その次にその構成員がいるという大きな前提があるのだろう。家族にしても、まず求められるのは「一体感」なのだ。

わたしは一体感が不要だと言っているわけではない。特に乳幼児にとって母親あるいは親密な大人との一体感は不可欠だ。守られているという感覚を知らずに育った子どもは不安定な大人になってしまうし、もっと極端な場合、たとえば虐待を受けて育ったような子どもは社会的なコミュニケーションができなくなることが多い。しかしそれは一人では生きていけない幼児・子どもの場合だ。

＊

ある新聞で坂本龍一と教育に関する対談をした。わたしは、生き方を子ども自身に選ばせるためには子どもを放っておくことが必要だと言った。その発言に多くの人が反発したようで、新聞社には批判的な投書が寄せられた。

「子どもを放っておいて平気なのか」

「放っておける子どもばかりではない」

そういった批判が多かった。わたしは子どもの養育を拒否すべきだと思っているわけではない。幼児・子どもが成長するための、大人によるケアが必要なのは当たり前だ。食事も与えずに放っておくと幼児や小さい子どもは死んでしまう。子どもを放っておくというのはそういう意味ではない。大人になってどうやって生きていくかを子ども自身が考えるように、放っておくという意味だったのだが、一部の人にしか理解されなかったようだ。

「……日本では幼いころから、社会に順応するように育てられる。10歳まで子供を導くのは主に母親で、その後は学校と教師がその役割を引き継ぎ、20歳前後には企業にバトンタッチする日が訪れる。人生の各段階で両親や組織に保護されているから、自分の全責任で判断することがない。行動の手引きとなるルールがいつも用意されている。こうした保証は、さまざまな困難と向き合わずにすむという安心感を与えることにもなる」（フィリップ・トルシエ『情熱』NHK出版より）

トルシエは自著『情熱』の中で、続けて次のように書く。

「……フランスの若者にとって、思春期の終わりは辛いものだ。というのも、自分の進むべき道を自分自身で決めなければならないからだ。日本の若者に、この孤独感や断絶感は見られない。（中略）だから10代後半になると、（フランスの若者は）人生について自問自答を繰り返すようになるのだ。自分は何者なのか？　何をすべきか？　どこへ向かえばいいのか？　と。日本の若い人たちは、こうした問いをあまり深刻に考えないように見える。ぼくの選手たちも、世の中を疑うことを知らないと思うときがある。彼らの中には、いつまでも確かに導いてもらえるという安心感があるようなのだ」

どうして日本人はフランス人と違うのか。それは、自分自身で自分の生き方を選び、判断するよりも、親や教師や学校や企業の言うことに従ったほうがはるかに有利だったからだ。社会の仕組みや考え方の枠組みが、自分自身で判断する人間にとって不利になるように作られていたからだ。安定した集団、つまり良質な学校、良質な企業に属することが何よりもその人の人生を有利にした。どういう職種を選ぶかということより、どの会社に入るかということのほうがはるかに重要だった。そういったことはこのエッセイでも繰り返し書いてきたことだからこのくらいにしておこう。

自立した女が敬遠されるという嘘

これまでの常識では自立は何ら有利ではなかった。自立するということは、集団から守られなくなるということだった。だから自立という概念には、集団から離れる、集団から疎外されるというニュアンスが大前提的に含まれている。安らぎの最後のよりどころが家族なのにどうして自立しなければならないのか、という問いかけには、自立＝家族からの分離、という前提がある。自立した者が集まって家族を構成するというニュアンスはない。

　また自立という言葉には、あえて集団を離れて孤立するという意味合いもある。これまでの常識では、集団を離れることにはリスクと不利益しかなかったから、自立には最初から「苦行」と同義語であるかのようなニュアンスも含まれる。自立しなければならない、という言い方には、苦労しなければならないという意味が最初から含まれている。もちろん自立には努力が必要だが、苦労だけがあるわけではない。自立していく過程には喜びも充実感もあるはずだが、そのことは無視されがちだ。

　自立した女は男から敬遠されがちだというような嘘は、一人で生活できて、自分自身でものごとを判断できる女は支配するのがむずかしいので面倒だという、自立できない男たちの勝手な都合によって成立している。自立した人は、自立していない人にとって、また自立していない人の集まりの中で疎《うと》んじられる。

「～さんはどうして結婚しないの？」

　というセクハラ発言は、どうして男に頼ろうとしないの？　という風にも言い換えることができる。企業や国家に頼り切って生きている男にとって、男に頼ろうとしない自立した女、何とか自立しようと努力している女はめざわりでしようがない。男に頼ろうとしない女は、男を「選ぶ」ことができるからだ。会社や官庁で、もたれ合いの中で生きている男は、男を選ぶことができる女が増えるのがイヤなのだ。

しかし、たとえばこのエッセイを読んでいるあなたの彼が本当に自立しているかどうか、わかるだろうか。数少ないがフリーターの中にも自立を目指している人がいるし、大企業に勤めていても会社に守られているという偽りの自信で自立なんかできていない男も多い。あなたの彼がもし企業や官庁に勤めていたら、会社や役所以外に友人を持っているかどうか、信頼できる人的ネットワークを持っているかどうかが有効な判断材料になる。

自立できていない男は同質の集団が好きで、群れる。つまり会社内・役所内のネットワークしか持っていないことが多い。外部に信頼できる友人を持っているかどうかは、たとえば転職の際などにも大きく影響する。リストラされたときに会社の同僚に相談しても有効なアドバイスはなかなか得られないだろう。それは会社内の同僚は似たような情報しか持っていないからだ。

わたしたちは、似たような情報を共有している人と知り合うことが多い。趣味の同好会やサークルはその典型だ。そういった集団の中では、他人と自分がほぼ同じような嗜好と価値観を持っていることで安心感を得ることができる。みんな一緒、という感覚には強烈な力がある。

だが、似たような情報しかない集団は楽で安心感があるが、情報の交換と、それに刺激がない。自立を求める人は、違うタイプの情報を得るための外部の人的ネットワークを必ず持っている。彼がどんな男か知りたかったら、彼の友人たち、そのネットワークを知るのが案外近道かも知れない。

「この人の信頼だけは失いたくない」とき

狂牛病とか雪印食品事件とか、金融不安とか、ここへ来て信頼・信用が問題になることが多い。銀行の不良債権問題は大詰めを迎えているが、銀行が本当にだいじょうぶかどうか、公的資金を入れなくてもいいのかどうか、識者、市場と、銀行・金融庁の見解が分かれている。

この問題は、むずかしそうだからわたしには関係ないと済ますことができない。預金している銀行が潰れるととても面倒なことになる。

最近ではマスコミも、どの銀行が危ないのか、固有名詞を出さなくなった。具体的な銀行の名前を出すと、多くの人が一斉にその銀行から預金を下ろしてしまう、いわゆる取りつけ騒ぎが起こるからだ。

この問題がやっかいなのは、銀行の経営状態が疑われていて、財務状態を正直に発表すれば株価が一気に下落して破綻するかもしれないし、財政状態を隠せば、正直に言えないのだからよほど経営が悪化しているのだろうと、これも株価が下がってしまうという面倒な矛盾を抱えている点にある。

これまで嘘ばかりついてきたいい加減な男をイメージして欲しい。絶対に浮気はしないと言いながら、これまであなたはその男に何度も裏切られてきた。あなたがもう別れると脅すと、もうこれから絶対に嘘はつかない、と男は約束した。ある日、その男に見知らぬ女から怪しいメールが送られてきたのをあなたは見てしまった。あなたが問いつめると、男は、ただの友だちだ、と弁解した。

あなたは、その言葉が信用できない。あなたは、その女が友だちじゃないはずだと疑っている。だから、友だちだという弁解を男が続ける限り、嘘をつく癖が直っていないということになる。しかし、彼女は実は恋人なんだ、という正直な答えが返ってくると、男は本当に正直者になったことになるが、今度は、浮気という別の問題が起こることになる。

やや乱暴な譬えだが、男は銀行で、あなたは市場だ。

どうしてそういう面倒なことになったのだろうか。それは、一度嘘をつくと、そのあとで信頼を回復することが非常にむずかしい、という当たり前のことを銀行経営者や政府が本当のところ理解していなかった、ということに尽きる。嘘をついていてそれがばれてしまうと、どのくらいのツケが回ってくるのかということに、銀行も政府も鈍感だったということになる。

信頼を回復する方法は

誰だって、嘘はつく。一生まったく嘘をつかない人は極めて少ないだろう。嘘がばれたら即死刑という法律ができてしまったら、誰も生きていけないかも知れない。だが、この人には絶対に嘘はつけないという人に嘘をついてしまうと、ものすごく大きなコストを払わなくてはならなくなる。また、嘘がばれて、謝って欲しいと思ったときに、その人が嘘をついたことを認めなかったら、その人のことはさらに信頼できなくなる。

＊

前述した嘘つきの男が信頼を回復する方法はあるだろうか。あなたは、その男がどういう態度をとり、どういうことを実行すれば、もう一度だけ信頼してみようと思えるのだろうか。男が土下座して謝ったらどうだろう。あるいは男があなたの名前の刺青《いれずみ》を入れると言ったらどうだろう。または男が、信頼してくれないのだったら、死ぬと言って実際に手首を切ったらどうだろう。そんなことで人は信頼を回復できるだろうか。すべて男の演技かも知れない。

第三者が必要なのだとわたしは思う。あなたは、あなたもよく知っている共通の友人に、その男と、メールを出した女に会ってもらう。そして、その女が本当にただの友だちかどうかを確かめてもらう。会ってみたんだけど、あれは本当にただの友だちだよ、とその友人が証言したらどうだろうか。あなたは、その男をもう一度だけ信頼してみようと思うのではないだろうか。

信頼を失ったとき、まず重要なのは、必死になってその信頼を回復しようとしているという姿勢と態度だ。そして、どうやったら信頼を回復することができるか、真剣に考えなくてはならない。

狂牛病の騒ぎで牛肉が売れなくなり、マクドナルドも半額セールを止めた。狂牛病の牛が一頭見つかるだけで、牛肉の売れ行きが激減し、経済全体に影響を与える。

農水大臣が、牛肉を食べて見せたが、そんなパフォーマンスでは信頼は回復できなかった。安全には万全を期します、と農水省がいくら宣言しても、ダメだった。おそらく農水大臣が切腹しても、牛肉の需要は回復しないだろう。農水省は、狂牛病の牛が発見されたとき、すぐにEUの最高レベルの専門家チームを日本に呼び、牛肉の検査と流通についてアドバイスを仰ぎ、彼らに徹底した調査をしてもらうべきだった。EUの最高レベルの専門家チームが徹底した調査をして、これで日本の牛肉は安全であるというお墨付きが出れば、きっと消費者はこれまでのように再び牛肉を食べ始めただろう。もちろん、そういう方法には金も手間もかかる。だが、もともと信頼を回復するためには金も手間もかかるのだ。だからこそ、絶対に信頼を失わないようにしなければいけないし、信頼の回復には手間と金がかかることを示して、子どもたちにもそのことを教える必要がある。

利害が絡まない第三者は、甘えの入らない客観的な判断をする。だから、たとえば男女関係で面倒な別れ話が持ち上がり、話し合いをするような場合は、第三者が同席したほうがいい。当人同士では、甘えが入る。

男女の別れ話の場合、第三者は信頼できる共通の友人が望ましい。そういう第三者がいれば、男も女も甘えるのがむずかしくなる。泣いたり、死んでやるなどとわめいたりするのは基本的には甘えで、他人に見られるのが恥ずかしいことなので、第三者の同席は効果的なのだ。もっともっと深刻な別れ話になると、共通の友人ではなく、双方の弁護士が必要になる。弁護士は法律に則《のっと》った第三者だ。

信頼の回復やトラブルに際して、第三者を導入するという考え方が日本社会には少ない。身内の恥だとか、これはわたしたちの問題だから口をはさまないでくれ、とかそういう風になりがちだ。それは、日本社会がこれまで外部がない閉鎖的なものだったからではないかと思う。同質の人間だけが集まる集団では、信頼よりも集団の結束や忠誠心がより重要になる。その集団への所属が認められている限り、個人的な信頼が裏切られても、集団が仲を取り持ってくれるのだ。

夫婦喧嘩をすると、隣のおばさんが、まあまあここは穏便《おんびん》に、だんなさんも悪気があったわけじゃないんだから、としゃしゃり出てきて丸く収めてくれる。会社内で社員どおしのトラブルがあると、上司が出てきて、双方を呼んで、酒を飲ませ、まあどっちもどっちなんだしこのおれに免じて水に流してくれないか、みたいなことでたいていのことは収まってきた。

もっとも大切な人とはどんな人間か

しかしそういう仲介機能が日本社会から急速に失われつつある。ドメスティックバイオレンスに悩む人々を救える「隣のおばさん」はもういない。どんな会社であっても、いつリストラされるかわからないという状況になると、上司の仲介を素直に聞く部下は減る。トラブルの際に上司の仲介に従っても、それが自分のミスになれば、上司の上司によってクビになるかもしれないからだ。

多くの人が、これからは「おれに免じて」みたいなことではトラブルは解決できないとわかっているのに、たとえば農水大臣はわかっていない。自分で牛肉を食べてみせれば、消費者は安心するという信じがたい勘違いをしている。土下座すればわかってもらえると思っている嘘つき男と同じだ。

信頼は、これからのキーワードになるだろう。その人格や技術や仕事や人間関係が信頼されている人は、それだけで大きな利益を得る。大企業や大銀行や官庁に勤めているというだけで信頼される時代が終わりに向かっている。

恋愛においても、常に信頼を裏切らないように、男も女も危機感を持って細心の注意を払わなくてはならない。一度信頼を裏切ると、そのコストは計り知れないほど大きい。金と手間がかかる。

昔、わたしが子どもの頃、学校では「尊敬される人になりましょう」とよく教えられた。それは、尊敬される人＝偉い人、になれば自然に信頼が得られるから、ということだったのだろう。「信頼される人になりましょう」とは教師はあまり言わなかったし、まして、信頼は一度失うと大きなツケを払う羽目になります。などと教えることはなかった。尊敬されるのも気持ちがいいのかもしれないが、信頼をなくせば尊敬もへったくれもなくなる。

そして、恋人だろうが、友だちだろうが、「この人の信頼だけは失いたくない」と思える人がもっとも大切な人なのだ。

恋愛の条件を満たせない男

知り合いの女の子がシリアスな病気になって、いろいろと相談に乗ったり、病院を紹介したりした。とりあえず手術は成功したらしい。手術後しばらくして、病気になったことが理由で離れていった男友だちと、より信頼が深まった男友だちがいます、というメールをもらった。偶然かも知れないけれど、より信頼が深くなったのは経済力のある人ばかりでした、と書いてあった。わたしは偶然ではないような気がした。

わたしのまわりにも結婚しない女が多いが、彼女たちと話してみると、恋愛の前提となる条件を満たしていない男が多いことがわかる。条件というのは、身長や容姿や年収だけではない。多いのは、依存し、甘えているのに、そのことに気づかないという男だ。依存というのは、ヒモのように女に頼って生きるということではない。暴力をふるうのも依存だし、三歩下がって黙っておれについてこいというようなことを言うのも依存だ。

一度セックスしたからといって自分の所有物のように扱うのも依存だし、支配しようとするのも依存だ。相手の時間や自由を侵し、相手の時間や自由を奪い、支配することで愛情を確かめようとするのはすべて依存だ。

「会社に行かずにおれの傍《そば》にいてくれ」

「友人と会うのを止めて、今夜はずっとおれの傍にいろ」

「おれが帰るときは玄関で三つ指をついて迎えてくれ」

「おれが言うことに口答えするな」

「おれの前でおれ以外の男を誉めるな」

「会社を辞めて、おれとずっと一緒にいてくれ」

「おれと一緒に死んでくれ」

すべて依存だ。しかし面倒なことに、昔はそれが依存ではなく愛情だと思われていて、今でもその名残が残っている。演歌の歌詞はほとんど依存だし、昔の映画も、いや恐ろしいことに今の映画やテレビのかなりの部分にも依存が愛情とダブって残っている。

要するに、愛情というのは相手のために耐え、我慢すること、相手のために自分を犠牲にすること、という旧来の「物語」がいまだに確固として残っているということだ。愛情というのは相手がぼくのために我慢してくれること、という誤解をした男が案外多い。耐えて我慢をして、必死に尽くす母親に育てられた男は、そういった誤解をしやすい。

「わたしがこんなにあなたのことを考えているのに、どうしてあなたはわかってくれないの」

そういう台詞と共に、母親の犠牲的な愛情を受けて育った男は、ぼくのことを好きだという女はぼくのために犠牲的・献身的に尽くしてくれるはずだという誤解をしたまま大人になってしまう。そういう男は、相手の自由や時間を尊重するという概念がない。

＊

私事で恐縮だが、わたしの母親は教師でものすごく忙しかった。朝、夫と二人の子どもに食事をさせてから、自分も学校へ出かけ、夜は学校から帰ってから夕食の支度をして、食事の後にテストの採点や通信簿をつけたりしていた。物理的に時間がないので、食事は簡単な料理が多かった。炒めものか焼きもので、時間がかかる蒸しものなどは滅多に食べなかった。わたしが初めて茶碗蒸しを食べたのは上京してからだ。

最近、北海道に嫁いだ妹と一緒に九州の田舎に帰って暮参りをしてしみじみと話したのだが、教師をしている母親から受けた影響は大きかった。わたしも妹も、多忙な母親に対しネガティブな思いを持ったことは一度もない。確かに、もっと家にいて欲しいとか、もっと一緒の時間が欲しいとか思ったことはある。だが、わたしも妹も、母親の仕事を尊重していた。

当時は女性の職場が少なかった。そのせいもあるのだろうが、教師をしている母親は子どもが見てもかっこよかった。今、わたしと妹がそういうことを言うと、母親は、そんなことはなくて仕事は単にきつかった、と否定する。だが、本人はきつくて辞めたかったのかも知れないが、端で見ていて、活き活きとしているように見えた。

夫婦喧嘩のあとなどに、わたしは職があるのでいつでも別れることができる、というようなニュアンスのことを母親が呟《つぶや》くことがあって、わたしや妹は、できれば別れないで欲しいと思ったが、同時に、うちの母親は自立しているから強いのだ、という安心感を持った。わたしも妹も、けっこう放っておかれたが、それは母親から愛情を受けなかったということではない。べたべたとずっと一緒にいたことはないというだけだ。

依存か、それとも愛情か

現在のわたしの住まいの近所に幼稚園があって、大勢の母親が我が子を迎えに来ている。おそらく送り迎えをしているのだろう。わたしも妹も、幼稚園の送り迎えをしてもらったことはないが、寂しいとは思わなかった。うちの母親は働いているのでしようがないと思っていた。母親にとって教師という仕事はきっと大事なのだろうから、わがままを言って母親の時間を邪魔しないようにしようと思っていた。つまり、母親が仕事を放ってかまってくれることが愛情だと思わずに済んだ。

五十歳になってやっと気づいたのだが、人間関係におけるわたしの価値観には母親が強く影響している。わたしは、わたしの母親の仕事を尊重することで、たとえ親でも相手の自由と時間を束縛してはいけないのだと実感しつつ育ったのだった。それにわたしの母親は、きついとか大変だとか言いながら、充実しているように見えた。わたしは教師という仕事に誇りを持っているとか、この仕事でわたしは自立しているとか、そういうことを母親は一切言わなかった。

教師仲間でも面倒でいじわるな人がいるし、親はしょっちゅう文句を言いに来るし、子どもはそれほど可愛いわけではないし、できれば早く辞めたい、みたいなことをよくこぼしていた。生徒が家に遊びに来ると、よく居留守を使った。いないと言ってくれ、と母親に言われて、わたしはよく居留守を手伝った。学校で子どもの相手をしてくたくたに疲れているのに家にまで訪ねてこられてはたまらない、というようなことをいつも言って笑っていた。

彼の人間性を判断する

充実している人は、「わたしは充実している」とは言わない。充実している人は、自分の子どもだろうが、絶対に甘えたりしないのだ。たとえば発熱したら看病してくれたし、幼児の頃はよく本を読んでくれたりしたが、小学校の中学年になると、わたしも妹も自分のことは自分で考え、決めなければならなかった。

＊

わたしが他人に依存する人間にならずに済んだのは母親の影響が大きいと思う。わたしは、誰かがわたしのために犠牲になったり、わたしのために我慢をしているのを見るのが耐えられない。他人には、絶対にそういうことはして欲しくない。他人の嫌がることを押しつけるのもイヤだし、威張るのも、命令するのも、支配するのもイヤだ。同じように、嫌なことを他人から押しつけられたり、威張られたり、命令されたり、支配されるのもイヤだ。

わたしの母親の強みは、自分で稼いでいることだった。もし専業主婦で、仕事に就く可能性も能力もなかったら、別の価値観を持っていたかも知れない。自分で稼いでいない人、あるいは自分で稼ぐ能力の少ない人は、結局誰かに頼って生きることになる。

日本社会にはいまだに「誰かに頼って生きることは美しい」というような幻想がある。自立している人、自立しようとしている人は他人に支配されにくいので、疎《うと》んじられ、自立そのものも軽視されている。権力者にとって、民衆の自立はやっかいだ。たとえば鈴木宗男のような人物は、自立できない人々にとってはいなくてはならないものだが、自立している人間にとっては単にうっとうしいだけだ。

一般的にこれまで雇用の機会が均等ではなかったので、どちらかと言えば女性のほうが自立に関して敏感と思う。それに比べて、自己犠牲を愛情だと勘違いしている男の数はあまり減っていないのではないだろうか。彼氏の人間性を判断するときに、彼の同性の友人をチェックするのを勧めたが、彼の母親をチェックするのも、依然として有効かもしれない。

タフな男はこんな場所にいる

ある男性誌で、衰退企業の社員と話すという連載座談会をやっている。最初が中堅ゼネコンで、次が信託銀行、特殊法人、流通小売り、外資、旅行、フリーター、派遣社員、などと話した。もちろん普通に働き、普通に生きている人たちだ。ちなみに最初に会った人たちが勤めていたゼネコンはこの春に破綻《はたん》した。あのときの人たちは元気でやっているだろうかと思う。

いろいろな「衰退企業」の人たちに実際に会って思ったのは、まずマスメディアの常識はもう通用しないということだった。つまり、統合される銀行はそれぞれ元の銀行の派閥に別れていて、合併される格下の銀行の派閥の人々はいつも肩身の狭い思いをしている、というような「マスメディアの常識」があるが、若い人に限ってはそんなことはなかった。また、外資は業績が上がらないとすぐに撤退するので勤める社員は不安な毎日を送っている、というのもマスメディアの常識だが、外資に勤める人はほとんどみんな転職を経験していて、タフな人が多かった。

フリーターや派遣社員にも、不安定なのでいつかは安定した企業の正社員になりたがっている、というマスメディアの常識があるが、全然そんなことはなかった。確かに、安定した企業というものはいまだに存在するが、安定した企業に就職できたからといって、その人の人生が安定するとは限らない。またその企業での仕事が自分に向いたものではなかったら単に会社に縛られることになってしまう、というような常識が、すでに若い人には定着している。

　要するに雇用を巡る環境も考え方も変わってきているのに、マスメディアではいまだに終身雇用制や年功序列が維持されているからか、そういった変化に対応できていない。そして、そういった変化は、実際に人に会って話してみないとわからない。サラリーマンやOLという大きな括りでは何も見えてこない。たとえば衰退企業は市場から退場すべきか、それとも何らかの方法で救済されるべきかという論議があるが、中高年と若年層では利害が対立している。

　四十代、五十代は、会社が潰れると再就職先を探すのも大変だし、新しい技能を身につけるのもほとんど不可能だし、だいいち新しく何かを始めようにも勤めていた会社のやり方に染まりすぎている。若い人たちは違う。不況が続いていて、若い社員は失業が怖いからサービス残業にも耐えなければならない。そんなに残業がいやなら辞めたっていいんだぞ、という無言の脅しが効いているので、サービス残業を断ることはできない。

そういった衰退企業の場合、トップは会社を再建しようという意志なんかないことが多い。数年保てば退職金をもらってさよならするわけだから、それまで何とか会社が保てばいいと思っている。死ぬ気でアイデアを出して、新しい経営モデルを構築しようなどという経営者は、日産のカルロス・ゴーン氏のように外部から呼んでこない限り、どこにもいない。

家族、家、そして仕事

トップがそんな風で、前向きではないから、残業でも監査用の書類整理とか、やりがいのないものばかりだ。いっそのこと会社が潰れてくれたほうがいいと思っている若い社員は多いが、やはり不安で、毎日辛い残業に耐えているというのが実情だろう。二十代から三十代前半で、意欲さえあれば、本当は会社が潰れたってどうってことはない。会社が潰れたという経験がある人は強い。転職の経験がある人もタフだ。会社を変わることには確かにストレスがあるが、意欲さえあれば何とかなるということを実感として知っているからだ。

マスメディアの常識としては、転職は辛いものだということになっているし、まして勤める会社が潰れるなどということはこの世の終わりに等しい。

だが、若い人に限って言えば、そんなことはまったくない。若いうちに会社の倒産を経験し、会社なんかいくつ変わっても何てことはないという刷り込みをしておくことは、やりようによっては将来的にも有利になる。業績や有利子負債を考えると、いつ潰れてもおかしくないのにどういうわけかいまだに潰れていない、という会社は大変な数になるだろう。そういう会社で、再建の見込みなんかないのに、後ろ向きの仕事で残業をやらせられるのは地獄だ。

＊

フランスの友人と東京で会って、日本ではどうして都市部の公園にスラムがあるのかと聞かれた。上野公園や新宿中央公園や代々木公園のホームレスのビニールハウスのことだ。確かにニューヨークのセントラルパークや、パリのリュクサンブール公園や、ロンドンのハイドパークにはホームレスが集まるスラムはない。まだ日本ではホームレスが集まる公園をスラムとは呼ばないが、外国人から見るとあれは間違いなくスラムだ。

終戦直後、上野公園には大勢の戦争孤児がいたが、彼らも放っておかれた。親を失った子どもたちに対して、当時の政府は救済しようとしなかったのだ。作家の大佛《おさらぎ》次郎は、その理由についてイギリスの知人に聞かれ、最初経済的な事情だと答えたが、あとで考え直して、日本人は他人への愛情に欠ける国民であるから、という結論に達したそうだ。（ジョン・ダワー著『敗北を抱きしめて』岩波書店より）

より正確に言えば、親しみのある日本的な共同体から脱落・逸脱した他人に対してはどう接したらいいのかわからない、ということではないかと思う。

ひょっとしたら愛情がないわけではないのかも知れない。可哀想だとは思っているのではないだろうか。ただどうすればいいのか、わからないのだ。ホームレスに対しても同じだ。都市部を中心に大量のホームレスが生まれているが、そんなことは日本社会にとって前代未聞のことだ。

今よりも貧しい時代はあったが、これほど大量のホームレスが発生し、しかも公園にスラムができることはなかった。行政としては、ホームレスを救済するような資金はないが、公園を追い出すこともできない。だから家族と家と仕事を失った人は公園に住みついてしまう。

しかしわたしはどうして日本人がホームレスになるのか本当に不思議だ。日本中で十万人を超えていると言われているホームレスは本当にまったく身寄りがないのだろうか。家族や親兄弟、親戚や友人がまったくいない人ばかりなのだろうか。ひょっとしたら、失業して、離婚して、そのことを恥だと思って、親兄弟や親戚や友人には隠したままホームレスになっている人も多いのかも知れない。

ＮＨＫで放送されたホームレスを描いた番組によると、紛争地や災害地で活躍する有名なＮＧＯである「国境なき医師団」が、日本のホームレスには病気の人が多く、彼らは恥の意識が強くて病院にかからないので、極めて憂慮すべき事態が続いているというレポートを発表したらしい。

そういった日本的な恥の意識には、失業や離婚や病気を大前提的に悪だと捉える日本の文化が影響している。

わたしたちは、末永く一つの会社で勤め上げ、一人の配偶者と添い遂げるのが美であり、善であると教えられてきた。確かに失業や離婚は面倒なのでしないほうがいいのかも知れないが、人生を一挙に失ってしまうようなものではない。

それでも離婚は数が増えているし、バツイチという便利な言葉が生まれて、人前では話せないことではなくなってきている。だが、失業や、転職はいまだに非常にネガティブなものとして敬遠されがちだ。もちろん失業と転職は別のものだが、一生勤め上げるという価値観に反するという意味では似ている。

「どこの会社にお勤めですか?」

わたしは合コンというものに行ったことがないが（一度は行ってみようと思っているが機会がない）、たいてい「どこにお勤めですか」という話題で話が始まると聞いたことがある。

どこにお勤めですか、という質問は、どんなお仕事ですかという質問とはまったくニュアンスが違う。どの会社に勤めているのか、というのは、どういう共同体に属しているかということだ。

しかしトヨタやSONYに勤めているからといって、すぐに彼女をゲットできるような時代でもないし、女のほうも会社で選ぶのでなければ、どこで男を選ぶのかまだコンセンサスがないので、多くの若い人がブランド品を身につけたり、エステや日焼けサロンに通ったり、整形をしたりしている。有名人を除けば、個人として魅力のあるのはどんな人かというコンセンサスが、この社会にないからだ。

しかし、ワールドカップで多くの外国人がやって来るというのに、あの公園のスラムはこのまま放っておかれるのだろうか。

不幸の原因は自分の中にある

　ワールドカップが始まった。この原稿が活字になる頃には日本の最終順位も決まっていることだろう。日本が予選リーグを突破できるかどうかは、当たり前のことだが、わたしにもわからないし、誰もわからない。ただ実力を百パーセント発揮すれば三戦全勝で決勝トーナメントに進めるだろうし、力を出せなかったら三戦全敗するだろう。

　開幕戦をソウルに見に行ったが、最強と言われていたフランスが初出場のセネガルに負けた。セネガルは本当に強かったが、フランスが破れるとは誰もが思っていなかった。そういったところがサッカーの面白さだ。つまりサッカーにおいては確定していることなど何もない。どんなチームにも勝つチャンスがある。何かの拍子に相手ディフェンダーがミスをして先取点を奪い、それを守りきったら勝てる。

　しかし日本の社会には「不確定性を楽しむ」という考え方が希薄だ。不確定性は最初から悪いことだというような前提がある。わたしたちの社会では、将来は確定したものでなければならないのだ。充分な準備をして努力すればリスクを減らせる、というような考え方が少ない。どこかの「ちゃんとした」企業に入らないと、将来は一挙に不安定なものになるという常識は今も残っている。

経済に関しては、これから景気が良くなるのか、それとも悪くなるのか、というような論議ばかりだ。どんなに景気が悪くなっても個人がサバイバルできるようになるために何が必要かというような論議は少ない。わたしたちの社会はどうして不確定性を忌み嫌うのだろうか。

その答えは単純ではない。終身雇用と年功序列という雇用システムが長い間続いてきたせいだ、という見方もできる。だが、実は戦後の日本企業のすべてが終身雇用システムを採用していたわけでもないし、一つの会社に一生を捧げる人は全体の三割強に過ぎなかったという説もある。つまり日本の雇用システムの代名詞のように言われている終身雇用だが、それは「完全」なものではなかったかも知れないのだ。

＊

終身雇用というシステムは、不確定性を忌み嫌うことの原因ではなく、ひょっとしたら結果かも知れない。つまり、不確定性を忌み嫌う原因は他にあって、終身雇用イメージの定着も、同じ原因に依る結果かも知れないということだ。

わたしは、日本の社会における個人と集団の確執に興味を持って作品を書いてきた。それは、このエッセイでも何度も繰り返し書いてきたことで、集団への個人の隷属、個人に集団が優先すること、みたいなことだが、最近果たしてそれは日本社会に固有のことなのだろうかと思うようになった。

わたしはサッカーというスポーツが好きなので、ワールドカップはとりあえず十試合以上観戦する予定だし、通信社や新聞社と組んだので、入手困難なチケットも手に入れることができた。だが、メディアのワールドカップの報道には妙な不安を覚える。メディアは日本中がワールドカップ一色になっているかのような報道をする。また日本人なら誰もが日本代表を応援するはずだというような強制力もある。

〝他人と同じ〟に潜む不安

日本中がある何かに一色に染まってしまうことを不安がる人もいる。日本という大きな括り方に不安を覚える人たちで、その人たちは、広義のマイノリティと呼べるかも知れない。日本中が一色に染まると、最大公約数に収まらないと思っている「少数派」の人たちは不安を覚えるだろう。

わたしはそういった強制力は日本に固有のものではないかと思っていたが、たとえば

9・11のテロ以降のアメリカを見て、日本だけではないと思うようになった。ああいった大きな悲劇が起こると、アメリカ人という最大公約数的な国民イメージが生まれる。巨大なマジョリティが作られて、そこから弾き出されることは不安であるばかりではなく、実際に、尋問されるとか逮捕されるとか切実な不利益を被《こうむ》る場合もある。したがって、国民はマジョリティに参加したがる。中米からの移民とか、中東系の居住者とか、アメリカのマジョリティから弾かれそうな人たちの多くが車に星条旗を掲げていたという話も聞いた。マジョリティ・多数派はそれ自体に大変なパワーがあるので、弱いマイノリティは何とかそのマジョリティの中に入れてもらおうとするのだ。

マイノリティにはいろいろな不安材料があるが、将来的な不確定性もその一つだ。政治体制が一変すれば迫害を受けるかも知れないという危機感がある。あるいは経済の停滞や崩壊が起これば、マジョリティはカタルシスとしての悪意の対象をマイノリティに求めるかも知れない。要するに、失業したり、仕事がなかったり、就職できなかったり、そのために将来が不安だったりすると、わたしたちは自分の不幸の原因を他人に転嫁しようとしがちだ。

つまり自分がこんなに不幸なのは、自分に才能がないとか、努力が足りないとかではなく、誰か他人が自分の邪魔をしているのだという妄想のようなものが起こりやすくなる。

妄想が固定化して、その妄想に支配されるようになると精神障害ということになるが、わたしたちは自分の不幸や不安の原因が自分にあるということをなかなか認めたがらない。

ホームレスを襲ったり、オヤジ狩りと称して中高年のサラリーマンを襲う少年たちは、攻撃本能を満足させるなどという理由ではなく、現在と将来の不安に怯《おび》え、自らを罰する代わりに弱者を傷つけているのだ。酔って妻を殴る夫や、子どもを虐待する親は、自己嫌悪のために本当は自分を殴りつけたいのだが、その代替行為として、身近にいる弱者に攻撃を加える。彼らの根本には甘えがある。つまり本来なら自分を批判して、自分を攻撃して発憤させなくてはいけないのに、他人にそれを代替してもらっているのだから、それは甘えだ。

＊

わたしは常にマジョリティに対する不安と恐怖を抱いている。自分がマイノリティに属しているという自覚があるわけではないのだが、マジョリティがヒステリー状態に陥ったとき、自分は必ず攻撃されるという確信のようなものがあるからだ。その確信は、わたしが大前提的にマジョリティを嫌っていることに原因がある。マジョリティというのは、相対的なもので、絶対的なマジョリティに属している人間など誰もいない。

アメリカでは早い時期に移民してきたＷＡＳＰ、つまり白人でイングランド系のプロテスタントが権力の中枢にいるが、彼らは全世界的に見るとマジョリティでも何でもない。たとえば彼らがある理由で中東に住むようになればそのことがはっきりするだろう。また故郷を離れた移民である彼らには、母国に対する根強いコンプレックスがある。彼らは欧州の伝統国から批判されると非常に気にする。

わたしがマジョリティを嫌悪するのは、真の多数派など存在しないのに、ある限定された地域での、あるいは限定された価値観の中でのマジョリティというだけで、危機に陥った多数派は少数派を攻撃することがあるからだ。そしてマイノリティといわれる人々も、その少数派の枠内で、細かなランク付けをして、少数派同士で内部の少数派を攻撃することもある。

忘れることのできない写真がある。それは大戦前のドイツでユダヤ人たちがひざまずいて通りを歯ブラシで磨いているという写真だ。その人物がある宗教に属しているというだけで、その人物の人格や法的な立場とは関係なく差別するというのはもっとも恥ずべき行為だが、わたしたちは立場が危うくなるとそれを恥じだと感じなくなる。

わたしはどんなことがあっても、宗教や信条の違いによって、他人をひざまずかせて通りを磨かせたりしたくない。それはわたしがヒューマニストだからというより、そういったことが合理的ではないというコンセンサスを作っておかないと、いつわたしがひざまずいて通りを磨くことになるかわからないからだ。

わたしたちは、状況が変化すればいつでもマイノリティにカテゴライズされてしまう可能性の中に生きている。だから常に想像力を巡らせ、マイノリティの人たちのことを考慮しなくてはならない。繰り返すがそれはヒューマニズムではない。わたしたち自身を救うための合理性なのだ。

想像力を磨くためにはどうすればいいでしょうか、とよく聞かれる。しかし想像力は磨いて光らせるものではない。幼児や子どもはみんな信じられないようなすばらしい想像力を持っている。大人になるにつれて、わたしたちはそれをしだいに鈍磨《どんま》させてしまう。想像力は磨くものではなく、鈍磨しないように危機感を持ってキープすべきものなのだ。

解説

辺見えみり

私自身、恋愛というものは一番の人生経験、あるいは対人関係の勉強になるものだと思っている。親にも教えてもらえなかった、恋愛のマナーやコミュニケーションの仕方を、身を持って教えてもらえる様な気がする。

別の親に育てられた二人が、親以上に深い付き合いをする。毎日一緒に居ても、解《わか》らない事がたくさん出てくるのに、お互い理解しようと、会話をする。とても身近な学校だと私は思うのだ。

村上さんは、私の考えとは違うかもしれないが、恋愛を通して社会問題や、人のあり方を教えてくれている様な気がする。彼の言葉はとても難しく聞こえるかもしれないが、すごく当たり前の事を言ってくれている。

　私自身、恋愛に格差はあるかと聞かれたら、正直答えられないと思う。でも今の時代、女性が男性と同じ位置で働くようになり、女性が自分でお金を稼げるようになってから、変わってきたのは間違いないと思う。

　結婚一つをとっても、昔みたいに男性に食べさせてもらうという感覚は、少なくなってきているかもしれない。そうすると、結婚をする意味がだんだん無くなってくる。とにかく自分の親の時代と、今私達が生きているこの時代とは、少しずつ何かが変わってきているのだ。

『恋愛の格差』を読んでいくつか思った事があった。

　一つは「日本語の難しさ」だ。

　この本には、別に日本語の難しさについて、書かれている所はない。

　でも日本語が英語の様に、一つの言葉に一つの意味しかなかったら、村上さんは、こういう内容の事は書かなかっただろうな、という部分がある。例えば「普通」という言葉。何を基準にして普通なのか。人間がそれぞれの経験をしていて、皆が同じ時に同じ思いは出来ないはずだ。そしてそれぞれの「普通」がある。……そう分かっていても、私もすぐ「普通」という言葉を使ってしまう。ある取材で、どんな結婚がしたいですか？　と聞か

れた事があった。私の答えは、

「普通の結婚」

そう答えた。

なんだか答えるのが面倒くさかった。

まだどんな相手と結婚するかも分からないのに、想像がつかないと思ったのだ。相手がもう決まっていて、その人とどんな家庭が作りたいか？ それだったら答えられると思うが……。

私の場合の「普通」は、面倒くさい時に使う言葉なのかもしれないなと思った。元気ですか？ と聞かれて、とりあえず「普通」って答える時があるくらいだから。そう考えると「とりあえず」っていうのも、不思議な日本語だな？ なんか気が抜けている感じで、私は好きだけど……。

「頑張れ」という言葉、これも使い方がとても難しい言葉だと感じていた。

学生時代は、頑張れという言葉がとってもカッコイイ気がしていた。運動会の時、合唱コンクールの時に、皆で集まって手を取り合う。なんだか青春の真っただ中という感じで、良い汗もかけたものだ。でも社会に出て、頑張れと言われると、すごく疲れる時がある。

何故《なぜ》なんだろう。

私は19歳の時、急に仕事が忙しくなり、会う人みんなに「頑張れ頑張れ」と言われていた。そう言われているうちに、忙しくないと自分が不安になり始めた。休む事がとても怖くて、休んだら人に負ける気がしたのだ。結局それからしばらくの間、仕事をつづけて、私の体はボロボロになり、クオリティーの高い仕事が出来なくなった。

長い人生の中で、一週間休む事がどれくらいのマイナスになるのか？

その一週間を使って、好きな所に出掛け、何かをつかんで帰って来た方が、よっぽど人より良い仕事が出来る気がした。

こんな出来事があり、私は「頑張れ」という言葉を使う時、すごく考える様になった。「頑張らなくていいよ、たまには」って言ってあげるのも悪くない様な気がしている。

もう一つ気になった話。

自立するのは難しいという事。

変な話だが、私はいつも自分が駄目になった時の事を考える。

芸能界なんて特に、来年どうなっているか分からない仕事だ。

でも私も、自分が自立しているかどうか考えた事はない。村上さんもおっしゃっていたが、とにかくどうやって生活して食べていくかだった。そう考えていたら、自然と一人で生活していた。でも一人暮らしを始めた19歳くらいから、取材でよく「自立していますよね。どうやって自立したんですか？」と聞かれた。不思議な質問だった。確かに、私の実家は東京にあるし、出て行く必要はまったくなかった。4歳からクラシックバレエを始め、プロになるために勉強の時間を割《さ》いて、バレエに人生を懸けていた。私はバレエしか取り柄のない人間になっていた。でも、14歳で膝《ひざ》を壊しバレエの道を諦《あきら》めることになった。

私は何をして生きていけば良いのだろう……。

親に勧められた事を、ずっとやってきて、反抗もせず生きて来た。

自分はいったい何が出来るだろう。

何に興味があるのだろう。

そんな中で見付けたのが、芸能界の仕事だった。

人の前で何か表現する事をしたいと思っていたから。

でもその時に、親の元でやるのは嫌だった。

自分の働いたお金で生きていきたいと思ったし、スタンダードな生き方は嫌だったのだ。

だから私は自然と自立していたから、自立しようと思ってした事ではない。

でも前と考え方が変わった事がある。

仕事を始めた時、やりがいのある仕事がしたい。自分に合った仕事がしたいと思っていた。もちろんそれが出来たら最高だと思う。でも最近、自分ではあまりやりたくない仕事でも、人がやって欲しいと言ってくれた事をやるのも、すごく喜びを感じられる様になった。

来年私の仕事が無くなったら、私はまた自分に何が出来るか考えるだろう。

生きていかなくてはいけないから……。

だから私は結婚をしたとしても、仕事をつづけたい。

そしていつか、安らげる相手と出逢《であ》えたら良いなと思う。

彼の生活に頼って生きていく方がかわいい女性なら、それでかまわない。でも私は、何歳になっても何かに向かって、生きている女性をすごくかわいいと思うことがある。そういう人にも、ちゃんとパートナーがいる。いい意味の一体感が感じられる。

最後に「信頼される人になる」という話。

これは本当に永遠のテーマだと思う。

恋愛でも、仕事でも、どちらにも言える事だ。

一回裏切られたら、相手が何もしていなくても、疑ってしまう。信頼を取り戻すには、すごく時間がかかるし、もう一度取り戻せる確率は少ないと思う。

内出血みたいなもので、押すと痛みがよみがえり、洋服を脱いだ時にそれを見付けて、なんだかみじめな気持ちになる。

大切な人を、自分の中でもう一度考えなくてはいけないと思う。『恋愛の格差』を読んで、何に関しても危機感を持たなくてはいけない気がした。人に言葉をかける時も、今の自分にも。信頼される人間になるためにも。

——女優

この作品は二〇〇二年十月青春出版社より刊行されたものです。

幻冬舎文庫

●好評既刊
最後の家族
村上　龍

引きこもり、援助交際、リストラ。過酷な現実にさらされた内山家の人々に生き延びる道はあるのか？　家族について書かれた残酷で幸福な最後の物語。テレビドラマ化もされたベストセラー。

●好評既刊
THE MASK CLUB
村上　龍

恋人を追いマンションに忍び込んだ書店員は、何者かに惨殺され「死者」として存在した。その部屋では七人の女たちが、SMレスビアンパーティを開く。彼女たちの過去は？　驚きの長編！

●好評既刊
ライン
村上　龍

受話器のコードを見るだけで、ライン上の会話が聞こえる女がいるという。次々に現れる男女の性とプライドとトラウマが、現代日本の光と闇に溶けていく。圧倒的筆力で現在を描いたベストセラー。

●好評既刊
ワイン　一杯だけの真実
村上　龍

複雑さと錯乱の快楽そのもののようなラ・ターシュ。非常に切なく非常に幸福な幼い時期を蘇らせたモンラッシェ――。八本の名酒がひき起こす女たちの官能を描く極めつけのワイン小説。

●好評既刊
昭和歌謡大全集
村上　龍

夜な夜な集まりカラオケ大会に興じる若者たちと、名前が一緒というだけで親交を深めるおばさんグループ『ミドリ会』の血で血を洗う抗争。現代の孤独と憂鬱を軽々と吹き飛ばす壮絶な戦いの物語。

恋愛《れんあい》の格差《かくさ》

村上龍《むらかみりゅう》

平成16年6月10日　初版発行
平成21年8月30日　4版発行

発行人――石原正康
編集人――菊地朱雅子
発行所――株式会社幻冬舎
〒151-0051東京都渋谷区千駄ヶ谷4-9-7
電話　03(5411)6222(営業)
　　　03(5411)6211(編集)
　　　振替00120-8-767643
印刷・製本―中央精版印刷株式会社
装丁者――高橋雅之

幻冬舎文庫

ISBN4-344-40530-7　C0195　む-1-22